Lurz, Georg

Ueber die heimat Pseudoisidors

Lurz, Georg

Ueber die heimat Pseudoisidors

Inktank publishing, 2018

www.inktank-publishing.com

ISBN/EAN: 9783750110694

ÜBER DIE

HEIMAT PSEUDOISIDORS.

VON

DR. GEORG LURZ.

MÜNCHEN.
DR. H. LÜNEBURG, VERLAG.
1898.

Vorwort.

Am Ende seiner im Jahre 1886 veröffentlichten Schrift: »Die Entstehung der pseudo-isidorischen Fälschungen in Le Mans« bezeichnet Bernhard Simson mit ziemlicher Zuversicht Le Mans als »das heimische Ithaka«, wo der Dekretalen- und Kapitularienfälscher »dieser vielgewandte, aber von der Kritik auch vielfach an fremde Küsten verschlagene Odysseus endlich landet«. Die neue Hypothese fand zwar in Deutschland wenigstens keinen allgemeinen Beifall, manche Bedenken wurden erhoben, aber eine umfassende Gegenschrift, in welcher alle Gründe Simsons gewürdigt wären, ist bis jetzt nicht erschienen, ebensowenig wie auf die Hypothese Langenshin Wasserschleben pflichtete keiner von beiden bei, sondern hielt an seiner Ansicht von der teilweisen Entstehung der Fälschung in Mainz fest. Wenn daher ein Jüngerer, dessen Kräfte noch ungeprobt sind, an diese heikle, so viele Gebiete berührende Frage sich heranwagt, so darf er wohl um so mehr auf nachsichtige Beurteilung der Mängel hoffen, die einer Erstlingsarbeit fast naturgemäss anhaften.

Zum Schlusse spricht der Verfasser seinem hochverehrten Lehrer, Herrn Professor Dr. Grauert, auf dessen Ermutigung hin er diese Arbeit unternommen hat, für alle empfangene Anregung und Förderung den herzlichsten Dank aus.

Inhaltsangabe.

Einleitung. Kurzer Überblick über die historische Entwicklung und den gegenwärtigen Stand der Frage.

I. Wann sind die falschen Dekretalen entstanden?

II. Die Hypothese Wasserschlebens.

    a. Otgars Streben nach einem Primate.

    b. Die falschen Kapitularien.

    c. Entstehungsweise der Dekretalen und Priorität der Handschriftenklasse A_1 oder A_2.

III. Die Hypothese Langens.

IV. Die Hypothese B Simsons.

    a. Die beiden Schriftwerke von Le Mans.

    b. Die sprachlichen Argumente Simsons.

    c. Die sachlichen Argumente Simsons aus den Schriftwerken von Le Mans und der Dekretale Gregors IV.

Schluss. Zusammenfassung der Gründe für die Entstehung der Dekretalen in der Reimser Diöcese unter der Leitung Wulfhads.

Einleitung. Historischer Ueberblick.

Wohl keine Frage in der Geschichte des kanonischen Rechtes ist so vielfach behandelt wie die pseudo-isidorische. Der französische Rechtsgelehrte Le Conte hat zum ersten Male die vorsiricischen Dekretalen in ihrer Gesamtheit als gefälscht bezeichnet und sein Urteil mit entscheidenden Gründen erwiesen; allerdings wurde dasselbe wohl nur wenigen Zeitgenossen bekannt.[1]) Seit dem Erscheinen der Magdeburger Centurien aber war dies Thema eine cause célèbre. Der grosse spanische Kanonist Antonius Augustinus, Erzbischof von Tarragona, „eine der eminentesten Persönlichkeiten, welche die Epoche der Wiedergeburt der Wissenschaften aufzuweisen hat",[2]) merkte in seinen Noten zu den Hadrianischen Kapiteln bereits die Stellen an, welche der Fälscher dem Cod. Theodos. entnahm; mit seinem Urteil über das Ganze hielt er indessen vorsichtig zurück, wiewohl er die Magdeburger Centurien schon kennen musste. Von den vielen, welche im 16. und 17. Jahrhundert die Frage behandelten und nach ihrem Parteistandpunkte bloss für oder gegen Rom Stellung nahmen, hat nur einer ein Werk geliefert, das für weiter hinaus Bedeutung erlangte, wenngleich der Autor nicht minder leidenschaftlich ist als andere, der Genfer Prediger Dav. Blondell. Was Kritik und Quellenforschung betrifft, steht dasselbe einzig da bis zu den epochemachenden Arbeiten der Brüder Ballerini.[3]) Noch im Anfang unseres Jahrhunderts waren nicht wenige, welche die

---

[1]) cf. praef. zu seiner Ausgabe des corp. iur. can., 1556 in Druck gegeben, erschienen 1570. Die betreffende Stelle in der praef. wurde von den belgischen Censoren unterdrückt und war z. B. auch Blondell (Pseudo-Isidorus et Turrianus vapulantes, Genev. 1626 c. 19) unbekannt. Sie ist erhalten in Car. Molinaéi opp. ed. a Fr. Pinsson. Par. 1681 tom. IV.
[2]) Maassen, Geschichte der Quellen und der Literatur des kanon. Rechtes I. Bd. p. XX. sq. p. XXXIII.
[3]) Petr. et Hieron Ballerinii Appendix ad S. Leonis M. opera tom. III. pars III. Venet. 1757.

1

falschen Dekretalen als ein Machwerk der Päpste in Rom
entstanden sein liessen. Seit der Mitte des Jahrhunderts nahm
man indessen allgemein die Entstehung des Werkes im
fränkischen Reiche an[1]) und betrachtete vielfach Mainz als
Heimat des Dekretalenfälschers. Aber eine endgültige Lösung
hat die schwierige Frage auch nach dem Erscheinen der ersten
kritischen auf umfassender Handschriftenforschung beruhen-
den Ausgabe der falschen Dekretalen durch Hinschius[2])
noch nicht gefunden. Besonders über den Ort der Entstehung sind verschiedene neue Hypothesen aufgestellt worden, nach denen naturgemäss auch die Frage nach dem
Autor, dem Zweck, der Zeit der Fälschung mehr oder minder
verschieden beantwortet werden muss. Weizsäcker[3]) nahm
zum erstenmale entschieden nicht nur Westfranken, sondern
bestimmt die Reimser Diöcese als Heimat der Dekretalen
an. Seine Ansicht fand solchen Beifall, dass sie bald die
herrschende wurde. Wasserschleben[4]) dagegen, der mit der
Zeit seine Stellung in der Frage mannigfach änderte, hielt
bis zu seinem Tode daran fest, dass wenigstens der Haupt-
teil der Fälschung in Mainz entstanden sei. Mit einer völlig
neuen Ansicht, nach welcher der Abt Lupus von Ferrières
der Verfasser wäre, trat dann Langen[5]) auf und mit einer
nicht minder neuen, vielfach beifällig aufgenommenen Hypothese, wonach die falschen Dekretalen und Kapitularien in
Le Mans entstanden sind, Bernhard Simson.[6]) Es scheint
darum nicht überflüssig, diese verschiedenen Hypothesen
mit den Gründen für und wider im Zusammenhange dar-
zustellen.

---

[1]) Hefele in der Tübinger theolog. Quartalschrift 29, 1847. Hinschius, Decretales Pseudo-Isidorianae et capitula Angilramni, Lips. 1863.
p. CCIV sqq.

[2]) l. c. Auf diese Ausgabe von Hinschius beziehen sich alle in der
Abhandlung vorkommenden Citate aus den Dekretalen.

[3]) „Hinkmar und Pseudo-Isidor" in Niedners Ztschr. f. histor. Theologie 1858. „Die pseudo-isidorische Frage in ihrem gegenwärtigen
Stande" in der histor. Ztschr. von Sybel 1860.

[4]) Beiträge zur Geschichte der falschen Dekretalen, Bresl. 1844.
„Pseudo-Isidor" in Herzogs Realencyklopädie f. protest. Theol. Bd. XII.
1. u. 2. Aufl. „Die ps. is. Frage" in Doves Zeitschr. f. K. R. 1864 Bd. IV
p. 273 ff. „Über das Vaterland der falschen Dekretalen" in v. Sybels
hist. Zeitschr. 64. 1890 p. 234 ff.

[5]) v. Sybels hist. Ztschr. 48, 1882 p. 473 ff.

[6]) Doves Ztschr. f. K. R. Bd. 21. 1886 „Pseudo-Isidor und die Geschichte der Bischöfe von Le Mans." Dann „Die Entstehung der pseudo-
isidorischen Fälschungen in Le Mans" Lpz. 1886.

I.

Wann sind die falschen Dekretalen entstanden?

Endgültig ist wohl der Zeitpunkt, v o r welchem die Fälschung vollendet sein muss, von Langen[1]) bestimmt worden. Man war gewohnt, das Jahr 853 als terminus ante quem der Entstehung anzunehmen, weil die von Ebo nach seiner Restitution geweihten, auf der Synode von Soissons, 22. April 853, aber abgesetzten Kleriker in einer Verteidigungsschrift, der sog. narratio clericorum Remensium[2]) offen pseudo-isidorische Grundsätze aussprachen. Maassen[3]) wies indessen nach, dass dieses Schriftstück einer erheblich späteren Zeit als 853 angehöre. Dagegen hat Langen darauf aufmerksam gemacht, dass Hinkmar von Reims schon im November 852 auf einer Diöcesansynode die Dekretalen bekämpft und den Pseudo-Calixt inhaltlich, Ps. Stephan aber namentlich citiert.[4])

Nicht so bestimmt ist die Antwort auf die Frage, wann Pseudo-Isidor mit seiner Arbeit begann. Im allgemeinen wird die Zeit nach 845 angenommen; auf diese Zeit führen die Anhaltspunkte, die sich aus den Dekretalen selbst gewinnen lassen sowohl für die allgemeinen Motive als über den bestimmten Anlass der Fälschung.

Über die Hälfte der Dekretalen handelt von Anklagen gegen Kleriker, besonders gegen Bischöfe. Durch zahlreiche, vielfach unmögliche Bedingungen hinsichtlich der Ankläger und Zeugen sowie der Art der Verhandlung sollen die Klagen gegen Kleriker soweit als möglich eingeschränkt, die Jurisdiktionsgewalt über sie dem weltlichen

---

[1]) l. c. p. 473 f.
[2]) Bouquet VII 277 sqq.
[3]) Anzeiger der Wiener Akad. d. Wiss. 1882 Nr. 24 p. 75 f.
[4]) Scherer, Handbuch des Kirchenrechtes, I, 224 n. 37 betrachtet wohl kaum mit zureichenden Gründen das Citat als Interpolation.

1*

Forum vollständig genommen werden. Dabei spricht aber der Fälscher ungemein oft von Absetzungen und gewaltsamen Vertreibungen von Bischöfen. Die Annahme, dass er sich damit auf die Absetzungen von Bischöfen unter Ludwig dem Frommen beziehe, würde den Schluss bedingen, dass die Dekretalen auch in dieser Zeit entstanden seien; denn nach 845 konnten sie ja nicht mehr nützen. Nun ist aber kein einziges Zeugnis aufzuweisen, dass unter Ludwig je Pseudo-Isidor geltend gemacht worden wäre.[1]) Agobard von Lyon, der eine Zeit lang fliehen musste,[2]) war nichts weniger als Pseudoisidorianer.[3]) Otgar von Mainz, der gegen Ludwig den Deutschen von leidenschaftlichem Hasse erfüllt und Lothar stets treu ergeben war, musste 842 ebenfalls sich für einige Zeit von Mainz zurückziehen.[4]) Doch behielt er den Besitz seines Sprengels unverkürzt; er hatte von Ludwig keine Absetzung zu fürchten und jedenfalls ein Werk wie die Dekretalen zu seiner Sicherheit nicht nötig. Von allen verlor nur Ebo von Reims, der „signifer"[5]) der Lotharischen Partei, der aus anderen nicht ganz bekannten Gründen[6]) den besonderen Groll des Kaisers sich zugezogen hatte, 835 durch den Spruch der Bischöfe sein Erzbistum, nachdem er selbst durch freiwilliges Geständnis seiner Schuld vor drei Zeugen und durch schriftliche Erklärung des bischöflichen Amtes sich für unwürdig erklärt und demselben unwiderruflich entsagt hatte. In strenge Haft zunächst nach Fulda zurückgebracht, später nach Lisieux und Fleury, gewann er erst durch den Tod des Kaisers die Freiheit wieder. Für kurze Zeit restituiert, musste er bereits nach einem Jahre wieder fliehen bei der Annäherung Karls. Zwar erhielt er von Lothar mehrere Abteien, aber seine Wiedereinsetzung als Metropolit von Reims konnte er auch von Papst Sergius nicht erlangen. Auf der Synode von Beauvais (18. April 845) erfolgte die Wahl Hinkmars; schon vor[7]) derselben hatte Ebo das Bistum Hildesheim erhalten. Die Ansprüche auf Reims, die er auch nach seiner Translation noch machte,

---

[1]) Hinschius l. c. CLXXXVI sqq.
[2]) Dümmler, Geschichte des ostfränk. Reiches, 2. A. I, 112.
[3]) Hinschius l. c. CLXXXVII, 3.
[4]) Dümmler I, 176. II, 312 A. 2.
[5]) Ann. Bertin. a. 835.
[6]) Dümmler, I 109 ff. Schrörs, Hinkmar, Erzbischof von Reims. 1884 pag. 30.
[7]) Schrörs l. c. 476 ff.

waren vergeblich; er starb als unglücklicher Prätendent 851 in Hildesheim, woselbst sein Nachfolger die von ihm erteilten Weihen als unkanonisch aufhob.[1]) Thatsächlich sind die Beziehungen der Dekretalen auf die Schicksale Ebos, auf sein öffentliches Schuldbekenntnis, seine schriftliche Erklärung, seine Haft, seine Restitution durch eine geringere Anzahl von Bischöfen als die, durch die er abgesetzt worden war, endlich auf seine Translation unverkennbar.[2]) Man hat darum Ebo schon als Verfasser oder doch als Hauptbeteiligten an der Abfassung der Dekretalen hingestellt.[3]) Indessen hat er weder 835 noch je in seinem Leben bei seinen Ansprüchen auf Reims nur ein einziges Mal pseudo-isidorische Sätze geltend gemacht; er ist also auch nicht der Verfasser der Dekretalen. Die zahlreichen Stellen aber, die gerade auf seine und nur auf seine Verhältnisse passen, können dann wohl nur von einem oder von einer Partei herrühren, deren Interessen mit den seinigen enge verknüpft waren. Eine solche Partei haben wir in den von Ebo nach seiner Restitution 840 geweihten Klerikern, welche mit Hinkmar einen erbitterten Kampf führten,[4]) weil derselbe ihre Weihen als ungültig erklärt hatte. Ihnen musste daran liegen, vor allem die Absetzung Ebos als unkanonisch, dann seine Restitution 840 als gesetzlich hinzustellen. Es liegt darum der Schluss nahe, dieser Partei die ganze Dekretalenfälschung zuzuweisen. Aus ihrer Mitte gingen ja auch andere Fälschungen zu dem gleichen Zwecke hervor, so eine Urkunde[5]) über die Wiedereinsetzung Ebos 840, der Brief Gregors IV. über die Restitution Ebos,[6]) endlich die narratio clericorum Remensium, „ein plumpes Gewebe von Unwahrheit und Entstellung," wo ebenso wie in der Dekretale Gregors entschieden pseudo-isidorische Grundsätze aus-

---

[1]) Dümmler l. c. I, 109 ff. II, 253 f. II, 262. Schrörs l. c. 27 ff.

[2]) Göcke, De exceptione spolii. Diss. Berol. 1858, p. 51 sqq. Hinschius l. c. CCXII sq. Simson allerdings (Entstehung p. 114 f.) findet die „vermeintlich darin enthaltenen Beziehungen auf die Geschichte Ebos mehr scharfsinnig als überzeugend aufgespürt" und glaubt, dass die pseudo-isidorischen Tendenzen besser auf die Schicksale Aldrichs von Le Mans passen. cf. auch Langen l. c. p. 481.

[3]) bes. v. Noorden in v. Sybels histor. Ztschr. VII 315 ff.

[4]) Schrörs l. c. p. 60 ff.

[5]) Schrörs l. c. p. 63.

[6]) Dümmler l. c. I 254 A. 2. 259 A. 5, Hinschius l. c. CCXXXIV sq. Mansi XIV 518. Vgl. indessen den Nachtrag.

gesprochen sind.[1]) Ein Reimser Diakon wird auch zu Soissons 853 angeklagt, weil er königliche Erlasse gefälscht habe.[2])

Die Bezugnahme der Dekretalen auf das Schicksal Ebos kann indessen allein für sich den Umstand nicht zur Genüge erklären, dass so oft von den Bedingungen der Wiedereinsetzung gewaltsam vertriebener Bischöfe gesprochen wird. Der Verfasser muss wohl Ereignisse vor Augen gehabt haben, welche in seiner unmittelbaren Gegenwart sich abspielten und dies können nur die Vorgänge in der Bretagne sein.[3])

846 musste Karl mit dem trotzigen Bretonenhäuptling Nomenoi einen wenig ehrenvollen Frieden schliessen. Dadurch gewann dieser Zeit, weitere Vorbereitungen zu treffen zur Verwirklichung seines eigentlichen Planes, die Bretagne nicht nur politisch, sondern auch kirchlich selbständig zu machen, d. h. sie aus dem Metropolitanverbande mit Tours auszuscheiden. Auf einer eigenmächtig berufenen Synode liess er vier Bischöfe, welche seinen Plänen nicht willfahrten, absetzen, indem bestochene Zeugen dieselben der Simonie beschuldigten. Um diesem Gewaltakte ein gesetzliches Aussehen zu verleihen, hatte er zuvor beim Papste anfragen lassen, ob der Simonie überführte Bischöfe ferner im Amte geduldet werden dürften. Er gründete dann einige neue Bischofsitze und erhob Dole zur Metropole seiner sieben Diöcesen. Von dem neuen Metropoliten liess er sich feierlich zum Könige salben und krönen. Dieses Ereignis hatte nicht etwa die Bedeutung eines lokalen Aufstandes, sondern versetzte ganz Westfranken in Aufregung. Karl konnte im Felde nichts ausrichten; ebenso fruchtlos waren die Bemühungen der Pariser Synode 849, den vertriebenen Bischöfen ihre Sitze wieder zu verschaffen. Der Tod Nomenois aber (7. März 851) änderte an der Sachlage wenig, da Nomenoi einen kräftigen Nachfolger fand.

Diese Verhältnisse waren für Pseudo-Isidor Ursache, an so vielen Stellen von den Bedingungen eines rechtmässigen kanonischen Bischofsgerichtes zu sprechen.[4]) Die Dekretalen sollten den ungesetzlich verurteilten und vertriebenen Bischöfen Schutz gewähren, zumal ja Nomenoi den

---

[1]) Schrörs l. c. p. 65 f.
[2]) Weizsäcker, Der Kampf gegen den Chorepiskopat des fränk. Reiches, p. 46.
[3]) Dümmler, l. c. II 340 ff.
[4]) Langen l. c. Hinschius l. c. CCIX sq. Dümmler l. c. II. 342.

Schein zu wahren suchte, als ob er nicht gegen das kanonische Recht verstossen wolle. Aber zu weit würde man gehen, wollte man jene Ereignisse als direkten Anlass und Hauptzweck der Fälschung bezeichnen. Es ist vielmehr anzunehmen, dass nicht bloss der Plan der Fälschung bereits gefasst, sondern auch ein Teil der Arbeit schon gethan war, als Nomenoi bis zur Vertreibung der Bischöfe vorging.

An einer Reihe von Stellen führt der Fälscher eine äusserst scharfe Sprache gegen die Metropoliten. Bei jeder nur möglichen Gelegenheit betont er, dass der Metropolit nie anders als in Gegenwart aller Suffragane der Provinz einen angeklagten Bischof verhören dürfe.[1]) Wiederholt[2]) wird jede Verfügung für nichtig erklärt, die er eigenmächtig ausserhalb seines eigenen Sprengels zu erlassen sich erkühne, betreffe sie Jurisdiktion oder Ordination oder Verwaltung des Kirchengutes oder was immer. Ja mit direkter Absetzung wird in einem solchen Falle gedroht. Zum Teil sind diese Stellen so scharf, dass sie beinahe den Charakter persönlicher Gehässigkeit annehmen. Unter allen westfränkischen Metropoliten ist nur einer, gegen den diese Bestimmungen geschrieben sein können, Hinkmar von Reims.[3]) Man kann die metropolitenfeindlichen Sätze Pseudo-Isidors geradezu als Antwort auf seine Forderungen betrachten. Er beanspruchte volle Jurisdiktionsgewalt in den Sprengeln der Suffragane, auch das Recht, schon gefällte Urteile aufzuheben. Er entscheidet bei Bischofswahlen, jede Verordnung, jedes kirchliche Schriftstück, das vom Metropoilten ausgeht, hat der Suffragan zu unterzeichnen. Der Metropolit kann nach ihm selbständig in der Verwaltung der Suffraganbistümer vorgehen und disciplinarisch einschreiten. Hinkmar setzte also den Metropoliten so ziemlich an Stelle der Provinzialsynode, so dass diese fast überflüssig geworden wäre, während Pseudo-Isidor ihr so viele Befugnisse zuteilt, dass die Stellung des Metropoliten beinahe bedeut-

---

[1]) Maassen, Pseudo-Isidor Studien I. in den Sitzungsberichten d. W. A. d. Wiss. phil.-hist. Kl. 108. 1884, p. 1101.

[2]) cf. Ps. Calixt, im Texte bei Hinschius, p. 139 c. 13. Ps. Annic. 121 c. 4. Ps. Luc. 176 c. 3 Ps. Jul. 459 c. 6. 470. Ps. Fel. II. 483 c. 10.

[3]) Schrörs l. c. 318 ff. Warum die feindselige Sprache der Dekretalen gegen die Metropoliten „die erheblichsten Schwierigkeiten" darbieten soll, „wenn man die Reimser oder Mainzer Hypothese zu Grunde legt" (Simson, Entstehung p. 107), ist nicht ersichtlich. Im Gegenteil bildet gerade dieser Umstand ein wichtiges Argument für die Entstehung in dem Reimser Sprengel.

ungslos wurde. Gelang es Hinkmar, in dieser Schärfe seine
Ansprüche durchzuführen, dann konnte er unter den übrigen
Metropoliten wohl bald Nachahmer finden und die Suffraganbistümer hätten das Schicksal der Grafschaften geteilt;
wie diese in den Herzogtümern, so wären sie in den Me-
tropolitanbistümern aufgegangen oder doch zur Bedeutungs-
losigkeit herabgedrückt worden.[1]) In der Reimser Diöcese
aber mussten die schroffen Forderungen Hinkmars um so
entschiedeneren Widerstand finden, als gerade hier die
Suffragane in der langjährigen Sedisvakanz fast selbständig
geworden waren. Es verging denn auch kaum ein Jahr
seit der Wahl Hinkmars, als Verwicklungen begannen,
wie sie aus keiner anderen Diöcese berichtet werden.

Nicht minder bestimmt wie dieser Punkt weisen zwei andere
Bestrebungen Pseudo-Isidors auf die letzten Jahre des fünften
Jahrzehnts hin: Seine Bestimmungen gegen die Chorbischöfe
und die Forderung, nur der Papst könne Synoden berufen.
Die Vernichtung des Chorepiskopates ist eines der Haupt-
ziele Pseudo-Isidors; er muss in demselben ein Grundübel
der Kirche erblickt haben. Die Synode von Meaux[2]) (17. Juni
845) hatte zwar die Befugnisse desselben bedeutend eingeschränkt, aber auf dem Reichstage zu Epernai (Juni 846)
wurden von den achtzig umfassenden Reformartikeln jener
Synode gerade die wichtigsten verworfen, darunter auch die
Bestimmuugen gegen die Chorbischöfe. „Auf diese Art
scheiterte der grössere Teil der Reformvorschläge, durch
welche die fränkischen Bischöfe ihrer Kirche die alte Rein-
heit und den früheren Glanz wieder zu geben gestrebt hatten.
Es zeigte sich, dass auf dem Wege der Vereinbarung zwischen den Häuptern der Geistlichkeit und den weltlichen
Grossen nicht vorwärts zu kommen war, weil die eigen-
süchtigen Zwecke dieser durch die gerechten Forderungen
jener allzuempfindlich verletzt wurden; zwischen beiden
Ständen trat vielmehr eine verderbliche Spaltung offen zu
Tage.“[3]) Das Benehmen der Barone in Epernai, welche die
Bestimmungen gegen die Juden, gegen die Chorbischöfe,
über Reformen des Klerus verwarfen, andererseits die Beschlüsse wegen Rückgabe der Kirchengüter genehmigten,

---

[1]) Roth, „Pseudo-Isidor“ in d. Ztschr. f. Rechtsgesch. V. 1866 p. 9 ff.
[2]) Mansi XIV 811 sqq.
[3]) Dümmler l. c. II 295.

ist fast rätselhaft.) Seit diesem Tage war aber die Möglich-keit, auf dem herkömmlichen gesetzlichen Wege eine Re-form durchzusetzen, vollständig abgeschnitten. Jetzt erst, nachdem auch der Versuch Hinkmars gescheitert war, von den durch die Barone zurückgewiesenen Beschlüssen speziell die gegen die Chorbischöfe mit Hilfe des Papstes durch-zusetzen,[2]) konnte der Fälscher sicher darauf rechnen, dass seine Dekretalen als das letzte noch mögliche Mittel eine allseitige Aufnahme finden würden. Nach ihnen sind ja jene halb geistlichen, halb weltlichen Synoden, wie sie im Frankenreiche Sitte waren, die sogen. concilia mixta, ver-boten; die Berufung der Synoden sowie ihre Beschlüsse sind ganz unabhängig von der weltlichen Gewalt und nur der Bestätigung des Papstes unterworfen.[3])

Nach dem ganzen Inhalte der Dekretalen, nach den persönlichen Interessen des Fälschers sowohl wie nach den allgemeinen Zielen, kann man bestimmt sagen, dass erst nach dem Reichstag von Epernai mit der Fälschung begonnen wurde. Anlass waren die persönlichen Interessen: Rechtfertigung Ebos und Opposition gegen Hinkmar. Zu ihrer Realisierung ward der Plan zu dem umfassenden Werke entworfen, das auf die gesamten kirchlichen Verhältnisse der Zeit Rücksicht nahm.

---

[1]) Schrörs l. c. p. 46. Prudentius schreibt in seinen Annalen zum Jahre 846 betreffs dieses Reichstages: „in quo episcoporum regni sui (sc. Caroli) pernecessaria admonitio de causis ecclesiasticis ita flocci pensa est, ut vix unquam reverentia pontificalis, christianorum dumtaxat temporibus, sic posthabita legatur."
[2]) Weizsäcker, Chorepisk. p. 32.
[3]) cf. bes. praef. bei Hinschius p. 19 c. 8. Ps. Marcell 224 c. 2 Ps. Jul. 459. c. 5. 6. 466. 470. 471 c. 13 Ps. Damas. 503 c. 9 u. v. a

II. Die Hypothese Wasserschlebens.

Ist obige Zeitbestimmung richtig, so wird dadurch die Hypothese Wasserschlebens, die Dekretalen seien unter Otgar in Mainz entstanden, schon fast unmöglich; denn Otgar starb bereits 21. April 847. Es sollen indessen die einzelnen Punkte im Zusammenhang dargestellt werden und zwar zunächst das Hauptargument: Otgar wollte mit Hilfe der Dekretalen einen Primat gewinnen.

a) Otgars Streben nach einem Primate.

Wenn man nach der Zahl der Stellen urteilen müsste, in denen Pseudo-Isidor von Primaten spricht, könnte man allerdings die Aufstellung eines Primates als Hauptziel des Fälschers betrachten. Thatsächlich sind aber alle einschlägigen Bestimmungen so vage und oft seltsam, dass aus ihnen kaum ein Schluss auf den Autor oder die Heimat der Dekretalen gezogen werden kann. Als Ort,[1]) wo Primaten sein sollen, bestimmt Ps. Clemens (p. 39 c. 27—30): Da sollen Primaten oder Patriarchen sein, wo bei den Heiden primi flamines(?), und Erzbischöfe oder Metropoliten, wo bei jenen archiflamines waren; und Ps. Anaklet (p. 79 c. 26 cf. Ps. Stephan p. 185 c. 9): Es sollen Primaten eingesetzt werden, wo früher oberste Gerichtshöfe waren, welche die Appellationen solcher annahmen, die sich nicht direkt an den Kaiser wenden konnten. Die Stelle bei Ps. Pelag. II. (p. 724), die etwas bestimmtere Anhaltspunkte zu bieten scheint und von Weizsäcker auf Reims bezogen wurde, ist gar nicht beweiskräftig, da es sich in derselben nicht um das Gebiet eines Primas, sondern um die Provinz eines Metropoliten handelt[2]) und dieselbe einer irischen Kanonessammlung entnommen ist.[3]) Nur Ps. Anicet (p. 120 c. 3) spricht einiger-

---

[1]) cf. Hinschius l. c. CLVIII.
[2]) Hinschius l. c. CCIX.
[3]) Wasserschleben in v. Sybels hist. Ztschr. 1890 p. 238 f.

massen deutlich: „Nulli archiepiscopi primates vocentur, nisi illi qui primas tenent civitates, quarum episcopos et successores eorum regulariter patriarchas vel primates esse constituerunt, nisi aliqua gens deinceps ad fidem convertatur, cui necesse sit propter multitudinem episcoporum primatem constitui.“ Auf diese Stelle gründete Wasserschleben[1]) seine Ansicht, wobei er die Worte propter multitudinem episcoporum natürlich nicht auf die Provinz des Mainzer Metropoliten, welche ja bloss zwölf Suffraganbistümer umfasste,[2]) sondern auf das ganze neubekehrte Land bezieht. Otgar soll die erfolglosen Bestrebungen seines Vorgängers Rikulf fortgesetzt und nach einer ähnlichen Stellung getrachtet haben, wie sie Bonifacius besass oder wie Drogo von Metz 844 sie erhalten sollte. Aber der pseudo-isidorische Primat hat mit jenen nicht mehr als den Namen gemein; keineswegs darf man bei demselben an die Rechte eines Primas an der Spitze einer selbständigen Landeskirche denken. An ungefähr dreissig Stellen handelt Pseudo-Isidor von den Befugnissen der Primaten, aber stets in Verbindung mit Bestimmungen über Anklagen gegen Bischöfe. Der Primas kann eine legitime Synode berufen, auf welcher unter seinem Vorsitze in Gegenwart aller Bischöfe derselben Provinz die Schuldfrage eines angeklagten Bischofs verhandelt werden darf, wenn die Synode zuvor für die völlige Restitution desselben gesorgt hat. Ein endgültiges Urteil kann nur mit päpstlicher Ermächtigung gesprochen werden. Dabei muss der Primas jederzeit in jeder Phase des Prozesses einer Appellation des Angeklagten nach Rom statt geben. Die Verhandlung kann nur auf einer Provinzialsynode stattfinden; keine einzige Stelle der Dekretalen besagt, dass der Primas auch Metropoliten und die Bischöfe mehrerer Provinzen zu einer Landessynode berufen könne. Dass die Episkopalgewalt durch die Einsetzung eines Primas auch nicht im mindesten beeinträchtigt werden soll, zeigen klar die Worte von Ps. Calixt (p. 139 c. 13), wo dem Primas wie dem Metropoliten, der ungerufen irgend welche Amtshandlung im Sprengel eines Suffraganbischofs ausübe, ja allen, welche ihm beistimmen oder ihn unterstützen, mit Absetzung gedroht wird. Es ist ferner zu beachten, dass wie die ganze pseudo-isidorische Sammlung, so insbesondere

---

[1]) l. c. pag. 238 ff.
[2]) Kunstmann, Neue Sion 1845 p. 254.

die Stellen über die Primaten die seltsamsten Widersprüche enthalten.[1]) Ein Teil der Bestimmungen über Bischofsgerichte[2]) spricht nur von der Provinzialsynode, welche unter dem Vorsitze des Metropoliten das Verhör vornehmen darf, während der Papst endgültig entscheidet. Primaten werden gar nicht erwähnt. Andere[3]) weisen dem Primas den Vorsitz auf der Provinzialsynode zu; Ps. Eleuther aber (125 c. 2) nennt gleich Primaten und Metropoliten zusammen: „quamvis liceat apud provinciales et metropolitanos atque primates eorum (sc. episcoporum) ventilare accusationes vel criminationes, non tamen licet diffinire secus quam predictum est. Reliquorum vero clericorum apud provinciales et metropolitanos ac primates et ventilare et iuste finire licet."

Ein jeder Bischof kann mit Umgehung des Primas direkt nach Rom appellieren.[4]) Ein endgültiges Urteil über einen Bischof — soviel allein ist in allen Bestimmungen klar — kann nur vom Papst gefällt werden. Über einen Metropoliten aber kann auch das Verhör nur im Notfalle auf der Provinzialsynode unter dem Vorsitze des Primas vorgenommen werden.[5]) Die Rechte des letzteren gegenüber dem Papste und den Metropoliten sind völlig unbestimmt. Es ist gar keine Befugnis genannt, die er vor dem Metropoliten voraus haben soll; er scheint nur da zu sein, damit diejenigen angeklagten Bischöfe, denen es beliebt, an ihn appellieren können. Der pseudo-isidorische Primat ist etwas so Unbestimmtes, Nebelhaftes und zugleich so wenig Begehrenswertes, dass man schwerlich glauben kann, ein Metropolit, der einen Primat anstrebte, habe diese Stellen geschrieben. Die Aufstellung eines Primates kann nur eine sekundäre Absicht des Fälschers gewesen sein; die Interpolationen in der von ihm recensierten Hispana, aus denen die ursprünglichen Absichten Pseudo-Isidors wohl am deutlichsten sich erkennen lassen, enthalten nichts, auch die Kapitularien[6]) nur wenig von Primaten. Es lässt sich annehmen, dass erst während der Arbeit diese Idee sich weiter

---

[1]) Hinschius l. c. CCXIV sq.
[2]) Ps. Sixt. II. bei Hinschius p. 190 c. 2. Ps. Jul. p. 469. Ps. Fel. II. p. 488. u. a. bes. Ps. Damas. p. 502 sqq.
[3]) Ps. Alex. p. 96 c. 5. 98 c. 8. Ps. Steph. p. 184 c. 6. 8—10. Ps. Fel. I. p. 201 c. 9—14.
[4]) Ps. Sixt. I. p. 108 c. 5. Ps. Viktor p. 128 c. 6. Ps. Sixt. II. p. 190 c. 3 Ps. Fel. II. p. 488 c. XX u. a.
[5]) Ps. Annic. p. 121 c. 4.
[6]) Hinschius l. c. CLVIII.

ausgestaltete; der Fälscher musste voraussehen, dass bei der Verwirklichung seiner Bestimmungen unmöglich alles sich werde in Rom erledigen lassen, dass also der Geschäftsgang vereinfacht werden müsse.[1] Wie er sich dies aber vorgestellt, darüber geben die Dekretalen keinen Aufschluss. Nach manchen Stellen[2] scheint er nicht einmal an einen ständigen Primas, sondern an einen Legaten gedacht zu haben.

Es scheint darum die Annahme, dass Otgar, wenn er überhaupt einen Primat anstrebte, denselben mit so wenig begehrenswerten Befugnissen durch die Fälschung von Dekretalen zu erreichen trachtete, unmöglich. Auch wenn obige Stelle auf Mainz bezogen werden müsste, so würde noch nicht folgen, dass der Fälscher der Mainzer Metropolit war oder auch nur in Mainz lebte. Es kann ja auch ein Reimser Kleriker für diesen bedeutungslosen Primat Mainz in Aussicht genommen haben.

b) Die falschen Kapitularien.

Wasserschleben[3] misst ferner der Vorrede der Kapitularien Bedeutung und Glaubwürdigkeit bei. Das Planlose, Unzusammenhängende und die häufigen Wiederholungen des Werkes will er damit erklären, dass Benedikt aus verschiedenen Kollektionen, aus Vorarbeiten und Materialien für das pseudo-isidorische Werk seine Sammlung zusammengestellt habe. Der Kapitularienfälscher will allerdings hauptsächlich im Archive von Mainz seinen Stoff gesammelt haben und von Otgar mit der Abfassung beauftragt worden sein. Indessen sind wohl diese Worte nichts weiter als eine Fiktion über die Herkunft der Kapitularien ähnlich wie bei der Hauptsammlung Pseudo-Isidors und bei den Kapiteln Angilrams.[4] Dass das Werk unmöglich in Mainz vollendet ist, zeigen die Bestimmungen gegen die Chorbischöfe.[5] In Ostfranken bestand gar kein Kampf gegen den Chorepiskopat; in Mainz hatten Bonifaz, Rikulf, Otgar, Raban nicht nur Chorbischöfe,

---

[1] Hinschius l. c. CCXXV.
[2] Ps. Vikt. 128 c. 5. Ps. Sixt. II. 190 c. 2. Ps. Marcell 224. c. 2. Ps. Jul. 467 c. 12.
[3] in v. Sybels hist. Ztschr. 1890 p. 240.
[4] Warum er gerade Mainz gewählt, cf. Simson, Entstehung p. 117 ff.
[5] Weizsäcker, Chorepisk. p. 46 ff. Dümmler l. c. II 313.

Raban, der die Kapitularien Benedikts gar nie citiert;[1]) schrieb
sogar eine Verteidigungsschrift für den Chorepiskopat.[2])
Was das Planlose in den Kapitularien betrifft, so zeigen ja
auch die Dekretalen, dass die Ideen des Fälschers keineswegs, wenigstens beim Beginn der Arbeit, ganz fertig und
abgeklärt waren. Dagegen sind beide Werke in der Benützung der Quellen, in den Tendenzen und auch in der
Sprache derart verwandt, dass man sehr nahe Beziehungen,
wenn nicht völlige Identität der Verfasser annehmen muss.

Derselbe Grund, aus welchem die Vollendung, ja wohl
die ganze Abfassung der falschen Kapitularien in Mainz
unmöglich ist, nämlich die Bekämpfung der Chorbischöfe,
besteht aber in noch höherem Grade gegen die Abfassung
der Dekretalen in Mainz. Denn während Benedikt Levita[3])
neben den vielen Stellen,[4]) welche die Einsetzung von Chorbischöfen bedingungslos verbieten, auch die Bestimmungen
des Wormser Koncils aufnimmt,[5]) welche bloss ihre Befugnisse einschränken, zeigt sich bei Pseudo-Isidor kein
solches Schwanken; er will völlige Vernichtung dieses Institutes.[6]) Wasserschleben vertritt darum die Ansicht, die
vollständige Sammlung der Dekretalen von Clemens bis
Gregor nebst den Koncilien sei späteren Ursprungs; die ursprüngliche kürzere Form, die in Mainz entstanden sei, habe
keine Dekretalen gegen die Chorbischöfe enthalten. Es ist
darum notwendig, auf die verschiedenen Formen der Sammlung einzugehen.

c) Entstehungsweise der Dekretalen und Priorität
der Handschriftenklasse A₁ oder A₂.

Von den ältesten Handschriften Pseudo-Isidors, die
Hinschius in seiner Klassifikation[7]) mit A bezeichnet, enthalten 25 — Hinschius nennt sie A₁ — Dekretalen von
Clemens bis Gregor II. und die Konzilien bis zum zweiten
spanischen oder doch alle Dekretalen bis Gregor, während
16 andere, von Hinschius mit A₂ bezeichnet, im allgemeinen

---

[1]) Hinschius l. c. CLXXXV n. 5. Dümmler II 315 n. 4. Scherer l. c.
217 n. 6. Anders Simson Entstehung p. 119.
[2]) Hartzheim Conc. Germ. II 219—225
[3]) Hinschius l. c. CLIV.
[4]) II 121. 369. III. 260. 402. 423. 424.
[5]) I. 320. 321.
[6]) Ps. Damasus p. 510 sqq. Ps. Leo p. 628 sq. Ps. Joh. p. 715 sqq.
[7]) l. c. XVIII sqq.

nur die Dekretalen bis zum Damasusbrief an Stephah (Hinschius p. 502 sqq.), und zwar in Kapitel eingeteilt, den Damasusbrief gegen die Chorbischöfe aber sowie die folgenden Dekretalen und die Konzilien nicht enthalten. Nach der Ansicht von Hinschius,[1] welche fast allgemeine Zustimmung findet,[2] ist diese zweite Form die jüngere. Wasserschleben[3] dagegen tritt für die Priorität derselben ein; er will die beiden Formen strenge geschieden wissen; die ältere, im allgemeinen den Handschriften A₂ entsprechende soll in Mainz unter Otgar entstanden sein, die vollständige Sammlung dagegen in Reims durch Verbindung der ersteren und anderer neuer Dekretalen mit der Hispana; sie sollte zum Teile der Realisierung anderer Zwecke dienen, vor allem der Bekämpfung der Chorbischöfe. Die Lösung der Frage nach der Entstehungsweise der Dekretalen erfordert zunächst ein genaues Eingehen auf die Untersuchungen Maassens.[4] Bis in die Mitte des neunten Jahrhunderts hatte in Gallien, überhaupt im Abendlande neben dem Hadrianischen Codex, d. h. der vermehrten Dionysiana, welche Papst Hadrian I. 774 Karl d. Gr. übergab,[5] eine spanische Sammlung das grösste Ansehen, die 787 durch Bischof Rachio von Strassburg ins Frankenreich gebracht wurde. Dass diese als ein Werk des hl. Isidor, der 636 als Bischof von Sevilla starb, angesehen wurde, dafür existiert kein einziges schriftliches Zeugnis vor Pseudo-Isidor.[6] Die Form dieser Sammlung, wie sie im neunten Jahrhundert in Gallien gebraucht wurde, war von Fälschungen frei, hatte aber einen oft bis zur Unverständlichkeit entstellten Text; am besten ist sie repräsentiert durch eine Wiener Handschrift, den Cod. Vindobonensis 411, der aus dem Ende des zehnten Jahrhunderts stammt.[7] Die Ballerini machten bereits die Beobachtung,

---

[1] l. c. LII sqq.
[2] Maassen, Sitzungsberichte d. W. A. phil.-hist. Kl. Bd. 72 p. 531. Roth, l. c. in Rudorffs Ztschr. f. Rechtsgesch. 1866. V. p. 12. 14. Dove in Richters Lehrb. f. Kirchenrecht. 8. A. p. 95 f. A. 1.
[3] s. ob.; bes. zu beachten seine letzte Ausserung in v. Sybels hist. Ztschr. 1890 p. 235 ff. Die Priorität von A₁, wenn auch nicht die Entstehung in Mainz, nimmt auch Kraus an, cf. Theolog. Quartalschrift, Tüb. 1866 p. 479 ff. Über die vermittelnde Ansicht Grauerts im historischen Jahrbuch der Görresgesellsch. 1883 p. 605 f. s. u.
[4] Sitzungsberichte Bd. 108, 1884 p. 1061 ff. Bd. 109. 1885 p. 801 ff.
[5] Maassen, Geschichte der Quellen I 444 ff. 467 ff.
[6] Maassen, l. c. I 697 ff.
[7] Maassen l. c. I 667—710 ff.

dass eine andere Handschrift jener spanischen Sammlung, der Cod. Vatic. 1341 sich von der gallischen Form bemerkenswert unterscheide einmal durch viele oft willkürliche Verbesserungen des stark verderbten Textes, dann durch Einschaltung einiger grösserer pseudo-isidorischer Stücke.[1]) Sie bezeichnen es als unwahrscheinlich, dass ein Späterer diese Interpolation vorgenommen habe. Spittler,[2]) Biener[3]) und besonders Knust[4]) nahmen, gestützt auf diese Beobachtung, eine allmähliche Entstehung der pseudo-isidorischen Fälschung an, während Wasserschleben[5]) diese Stücke für spätere Einschiebsel aus der ganzen Sammlung hielt, aber doch eine ganz sichere Erklärung erst auf Grund umfassender Handschriftenvergleichung für möglich erachtete. Hinschius,[6]) der eine solche angestellt hatte, nahm auch spätere Interpolation an, weil der Cod. Vat. 1341 sowie die drei von Coustant beschriebenen Handschriften gleichen Charakters jüngeren Ursprungs seien. Nun hat neuerdings Maassen eine handschriftliche Untersuchung angestellt und ist zu folgendem bis jetzt nicht angefochtenen[7]) Resultate gelangt:

Alle Handschriften, welche wir von der pseudo-isidorischen Sammlung besitzen, einschliesslich des Cod. Vat. 1341, der den Ballerini vorlag, zeigen in den Stücken, die sie mit der gallischen Form der Hispana gemeinsam haben, vielfache und nicht selten erhebliche Verschiedenheiten „und die nähere auf den Charakter und die Ursache dieser Verschiedenheiten gerichtete Untersuchung führt zu der vollkommenen Gewissheit, dass in der pseudo-isidorischen Sammlung eine eigentümliche Recension des Textes der Hispana, das Ergebnis einer planmässig ausgeführten Bearbeitung vorliege. Die Abweichungen von dem Texte der reinen

---

[1]) l. c. p. CCVIII sq.
[2]) Geschichte d. kanon. Rechtes, Halle 1778 p. 243 ff.
[3]) Recension Theiners in d. Tübinger krit. Ztschr. f. Rechtswissensch. III. 1827. p. 152 ff.
[4]) De fontibus et consilio Ps.-Is. collectionis. Goett. 1832 p. 6 sqq.
[5]) s. ob. Beiträge, p. 68.
[6]) l. c. p. XCVII.
[7]) Meurer im historischen Jahrbuch d. Görresgesellschaft VII 1886 p. 117. Gietl, Hist. Jahrbuch d. Görresgesellschaft 1894 Bd. XV p. 570. Simson, Entstehung p. 56. Alb. Hauck, Kirchengesch. Deutschlands II, 480 A. 3. bes. Fournier, Nouvelle Revue hist. de droit XI 1887 p. 70 ff. Auch die eigenartige, von Fournier in d. Biblioth. de l'Ecole des chartes XLIX. 1888 genau beschriebene Grenobler Handschrift hat auf jenes Resultat keinen Einfluss.

Hispana sind zum Teil solche, welche ihren Grund in dem
Bestreben haben, einen äusserst verdorbenen, nicht selten
bis zur vollkommenen Sinnlosigkeit entstellten Text der
Vorlage zu emendieren, teils sind sie mit Absicht vorge-
nommene Veränderungen des ursprünglichen, unverdorbenen
Textes."[1]) Während die grammatischen Emendationen des
Textes äusserst zahlreich sind, sind die Interpolationen in
den echten aus der Hispana in die Dekretalensammlung
herübergenommenen Stücken gering, klein an Umfang,
aber sehr charakteristisch. Die Tendenzen Pseudo-Isidors:
Beseitigung des weltlichen Einflusses in der Kirche, besonders betreffs der Synoden, Beschränkung der Anklagen
gegen Kleriker und Freiheit derselben vom weltlichen Forum,
Kompetenz der Provinzialsynode, auf der alle Suffragane
zu erscheinen haben, Beseitigung der Chorbischöfe, treten
in denselben schon deutlich hervor. Diese eigentümliche
Recension der gallischen Hispana mit ihren Emendationen
und Interpolationen findet sich in allen Handschriften Pseudo-
Isidors, aber in keiner einzigen Hispana, die von pseudo-
isidorischen Figmenten frei ist, ja überhaupt in keiner Sammlung des Kirchenrechtes vor Pseudo-Isidor findet sich davon eine Spur, auch nicht in der Herovalliana und Dacheriana.
Raban benutzte für seine beiden Pönitentialbücher (841 und
853) eine Hispana ohne pseudo-isidorische Rencension, wohl
aber kennt und benutzt Benedikt Levita eine solche. Allgemeine Gründe sowie die Thatsache, dass die Tendenz
der Interpolationen speziell pseudo-isidorisch ist, machen
es nicht bloss wahrscheinlich, sondern gewiss, dass Pseudo-
Isidor selbst jene Recension fertigte oder veranlasste. Der
aus Autun stammende Cod. Vat. 1341, von Maassen die
Hispana der Handschrift von Autun genannt, enthält aber
nicht bloss eine eigentümliche Recension der gallischen
Hispana mit grammatischen Emendationen und Interpolationen,
sondern auch einige grössere pseudo-isidorische Stücke:
den Brief Stefans an Damasus und das Antwortschreiben des
Damasus (bei Hinschius p. 501 ff.), beide eingeschoben in das
echte Damasusschreiben No. II der Hispana, welches darum
bei Pseudo-Isidor in zwei Briefe geteilt erscheint, den Brief
des Damasus gegen die Chorbischöfe und die römische
Synode Gregors II. Die drei von Coustant beschriebenen,
jetzt verlorenen Handschriften hatten dieselbe Recension

---

[1]) L. c. Bd. 108 p. 1062.

mit denselben Einschaltungen wie die Autunform, welche auch als Vorlage diente für die dem neunten Jahrhundert angehörenden Ergänzungen der sog. Hamiltonhandschrift.[1]) Das Verwandtschaftsverhältnis, in welchem die Autunform zu der pseudo-isidorischen Sammlung steht, kann nur das einer direkten Abstammung der einen von der andern sein und sicher erfolgte die Recension der Hispana — abgesehen zunächst von den grösseren Einschaltungen — vor der Ausgabe der grossen Sammlung, schon darum, weil in letzterer die Reihenfolge der Dekretalen eine bessere Ordnung zeigt. Was nun die Einschaltung obengenannter Stücke betrifft, so rührt dieselbe sicher von Pseudo-Isidor selbst her; gänzlich ausgeschlossen ist die Annahme, ein anderer habe nach dem Erscheinen der grossen Sammlung diese pseudo-isidorischen Stücke in eine recensierte Hispana eingeschoben. Um nur einen Grund Maassens anzuführen: Der Text des falschen Damasusschreibens in der Autunform steht den Quellen näher als in der pseudo-isidorischen Sammlung; derjenige, welcher auf den schwer begreiflichen Einfall gekommen wäre, aus der grossen Sammlung gerade diese Stücke in eine recensierte Hispana einzuschalten, müsste also die Quellen Pseudo-Isidors gekannt haben. Dass Pseudo-Isidor diese Einschaltung zugleich mit der Recension vor der Ausgabe der grossen Sammlung vorgenommen habe, hält Maassen aus inneren und äusseren Gründen für wahrscheinlich. Einmal ist bis jetzt noch keine Handschrift gefunden, welche bloss die Recension ohne die Einschaltungen enthält. Warum hätte dann der Fälscher mit einer verkleinerten Auflage der grossen Sammlung später noch Konkurrenz machen sollen? „Dagegen hat es gar keine Unwahrscheinlichkeit, dass der Pseudo-Isidor, bevor er mit seinem vollen Apparate heraustrat, erst noch mit einigen Figmenten das Terrain zu sondieren für geraten hielt.[2]) Thatsächlich enthalten diese wenigen Stücke, in so geschickter Weise in jenen verbesserten Text eingeschoben, das ganze pseudo-isidorische System; besonders der Damasusbrief an Stephan erscheint wie ein Programm des Fälschers. In wohl berechneter Weise bereitet er zugleich die Welt vor auf die bald erscheinenden Dekretalen, wenn

---

[1]) Hinschius in d. Zeitschr. f. Kirchengeschichte VI. p. 193 ff. Simson, Entstehung p. 15 f.
[2]) Maassen, Sitzungsberichte Bd. 109 p. 857.

er den Damasus wiederholt von den „innumerabilia decretorum testimonia" seiner Vorgänger sprechen lässt.

Man kann es vielleicht nicht nur wie Maassen als wahrscheinlich, sondern als gewiss bezeichnen, dass die Ausgabe der Autunform vor der grossen Sammlung erfolgte. Der Damasusbrief an Stefan scheint nämlich auch aus dem Grunde eine Erstlingsarbeit des Fälschers, weil er noch nichts von Primaten enthält.[1]) Klar und bestimmt wie kein zweiter Brief enthält er programmässig die einzelnen Punkte des Systems; die Bekämpfung der Chorbischöfe aber schien Pseudo-Isidor wichtig genug, ihr eine eigene Dekretale zu widmen, die schärfste, welche er für diesen Zweck geschrieben hat. Noch ein Punkt verdient Beachtung. An zahlreichen Stellen[2]) der vordamasischen Dekretalen wird auf die früheren Papstbriefe einfach verwiesen. Schon längst sei alles bestimmt, immer aber müsse es wiederholt werden. Ps. Gaius[3]) nennt es überflüssig, nach so vielen Bestimmungen seiner Vorgänger über Anklagen und Restitution noch weiter zu sprechen, es müsste denn ein neuer Fall eintreten. Dann fügt er bei: „Si eorum autem statuta non habueritis, mittite fidelissimos scriptores qui haec coram fidelibus testibus excipere vobisque reportare sub stipulatione valeant." Wie soll man sich nun in dem Damasusbrief folgende Stellen erklären: „ne aliqua nova cudere aut ad noxam fratrum superintendere videamur" (bei Hinschius p. 504 c. 15); „quod utique et nos facere postulavit non quod novi nunc aliquid imperetur, sed illud quod per desidiam aliquorum aut scienter aut negligenter transgreditur, deincps observetur ab omnibus" (bei Hinschius p. 507 c. 22)? Diese Worte, welche eine fast ängstliche Befangenheit des Fälschers verraten, sind wohl nur in einer Erstlingsarbeit möglich; schwerlich kann dieser Damasusbrief gleich anfangs in der grossen Sammlung gestanden haben, wo die Bestimmungen des Damasus schon längst geübte genannt werden, ja als nicänische Beschlüsse erscheinen. Auch in den nachdamasischen Dekretalen wird wiederholt einfach auf die früheren verwiesen; so bei Ps. Symmach: (p. 676) „non necesse est super his nova cudere, sed vetera recitare atque firmare."

---

[1]) s. ob. p. 16.
[2]) Ps. Steph. bei Hinschius p. 183 c. 4. Ps. Gaius p. 218 c. 7. Ps. Marcell. p. 227 c. 8 p. 228 c. 11. Ps. Euseb. p. 239 c. 18. Ps. Jul. p. 459 c. 6 Ps. Fel. II. p. 481 c. 6. p. 489 c. 15. u. p. 494 c. 21. u. a.
[3]) bei Hinschius p. 215 c. 4; cf. Melchiades p. 245 c. 5.

Nur eine Stelle zeigt eine Ähnlichkeit mit obigen (Ps. Pelag. II.
p. 728 bei Hinschius). „Scio te non ignorare, frater, memo-
ratas canonum sententias apud evangelicas sanctiones, novas
non esse, sed nostro adsensui mancipari."

Lässt sich aber so gut wie zweifellos behaupten, dass
die Autunform früher ausgegeben wurde als die grosse
Sammlung, dann ist zugleich erwiesen, dass die Bekämpfung
der Chorbischöfe schon zu den ersten Absichten des Fälschers
gehörte. Zu diesem Zwecke interpolierte er bereits den
can. 7 des zweiten spanischen Koncils (bei Hinschius p. 438)
und schaltete den Damasusbrief in die von ihm recensierte
Hispana ein. Wiederholt[1]) bekämpft er auch, ohne indessen
den Namen der Chorbischöfe zu nennen, in den vordamasischen Dekretalen dieses Institut.

Es kann darum auch der erste Teil der Dekretalen nicht
in Mainz entstanden sein. Die vor- und nachdamasischen
Dekretalen stimmen in der Tendenz, in der Anlage und
Sprache derart überein, dass die Annahme verschiedener
Verfasser unmöglich ist. Mithin scheint Mainz als Heimat
der Dekretalen und eine Teilnahme Otgars an der Abfassung
völlig ausgeschlossen.

Das Resultat der Untersuchungen Maassens ist auch
von Bedeutung für die Hauptfrage nach der Priorität von
A₁ oder A₂. Wäre nämlich A₂ die ursprüngliche Form, so
müsste man annehmen, dass der Fälscher den ihm offenbar
sehr wichtigen Damasusbrief gegen die Chorbischöfe zuerst
in die Hispana einschob, in einer folgenden Ausgabe der
Dekretalen aber wegliess. Sehr zu beachten ist, dass von
den 16 Handschriften der Form A₁ einige[2]) auch die nur
für die ganze Sammlung passende Vorrede enthalten, in
welcher der Verfasser die Anlage seines Werkes ausführ-
lich beschreibt. Von diesen wenigstens wird sicher anzunehmen sein, dass sie unvollständige Abschriften der grossen
Sammlung, d. h. der Form A₁ sind. Denn was sollte einen
Besitzer der Form A₂ veranlasst haben, aus der vollständigen
Sammlung die für seine Sammlung unbrauchbare Vorrede
abzuschreiben? Auch der Umstand, dass in der kürzeren
Form Kapiteleinteilung vorgenommen ist, spricht nicht für
die Priorität derselben, sondern gegen dieselbe. Denn hätte

---

[1]) Ps. Clemens p. 39 c. 29. 30. Ps. Anaklet. p. 75 c. 18. p. 81. c. 28
Ps. Euseb. p. 242 c. 21.
[2]) Hinschius l. c. XLI sqq.

Pseudo-Isidor selbst die Briefe in Kapitel eingeteilt, so würde er es kaum in so ungeschickter Weise[1]) gethan, ferner diese zweckmässige Einrichtung doch auch bei den nachdamasischen Dekretalen der Hauptsammlung angewendet haben. Hervorgerufen und gestützt ist die Annahme von der Priorität der kürzeren Form A₁ vor allem durch den Briefwechsel zwischen Damasus und Aurelius. (Hinschius p. 20 sq.) Aurelius, Erzbischof von Karthago, bittet den Papst Damasus, er möge ihm die Dekretalen seiner Vorgänger schicken. Damasus sendet ihm dann die Briefe aller Päpste von Clemens an, mit der Aufforderung, für die Beobachtung und Verbreitung derselben zu sorgen. Durch diesen Briefwechsel ist nun allerdings auf die Dekretalen von Clemens bis Damasus als auf ein Ganzes hingewiesen Daraus kann aber noch nicht gefolgert werden, dass diese Dekretalen als ein Ganzes auch in einer eigenen Ausgabe vor der grossen Sammlung ediert wurden. „Hätte die ursprüngliche Sammlung auch die Dekretalen nach Damasus umfasst, so wäre, wie Wasserschleben[2]) sagt, nicht einzusehen, warum der Fälscher sich nicht einen späteren Papst als Absender aller erdichteten Briefe auserwählt und dadurch für alle das Gewicht der apostolischen Beglaubigung zu gewinnen gesucht hätte; ausserdem ist es doch im höchsten Grade unwahrscheinlich, dass aus der vollständigen Sammlung später eine Anzahl älterer Briefe besonders extrahiert, die Korrespondenz zwischen Aurelius und Damasus, in welcher die Dekretalen bis Damasus als ein Ganzes erscheinen, gedichtet und diese so gekürzte Sammlung verbreitet sein sollte, wogegen es ganz erklärlich ist, dass diese ursprüngliche Sammlung später teils zur Vervollständigung, teils zur Realisierung anderer Bestrebungen, als sie in jener hervortreten, durch weitere erdichtete Briefe vermehrt in die Hispana eingefügt und mit einer das Ganze umfassenden Vorrede versehen wurde.“ Dass der Briefwechsel zwischen Aurelius und Damasus erst später für die Ausgabe der kleineren Form eigens gedichtet worden wäre, ist auf kein Argument gestützt; derselbe stand gleich anfangs in der grossen Sammlung. Dass dann der Fälscher gerade durch Papst Damasus seine Sammlung autorisieren liess, mag einen nicht allzu fern liegen-

---

[1]) Hinschius l. c. LVI sq.
[2]) in v. Sybels hist. Ztschr. 1890 p. 236.

den Grund haben. Damasus galt[1]) als Verfasser des lib.
pontificalis, der mit den Dekretalen in innigem Zusammenhange steht. Es musste den Dekretalen grosse Autorität
verschaffen, wenn man die Sammlung derselben als ein
Werk dieses Papstes betrachtete. Waren aber die vordamasischen Dekretalen und hauptsächlich die pseudonicänischen Kanones autorisiert, dann brauchte der Fälscher
für die späteren Briefe, welche nichts wesentlich Neues
brachten, nicht mehr zu fürchten. Vielleicht war aber der
Hauptzweck jener Korrespondenz nicht einmal, die Dekretalen als von einem Papste beglaubigt hinzustellen Von
den Päpsten der ersten Jahrhunderte bis auf Damasus hatte
man keine Dekretalen; eine solche Masse, wie sie nun plötz-
lich auftauchte, musste berechtigtes Aufsehen machen und
die Frage nahe legen, wo denn diese Dekretalen bis jetzt
verborgen gewesen und wer sie gefunden habe. Darauf
gibt obiger Briefwechsel die Antwort: Damasus hat dieselben
nach Afrika geschickt gerade wie Markus die vollzähligen
Kanones von Nicäa auf Bitten des Athanasius nach Ale-
xandria. (cf. Hinschius p. 451.) Während die Originale verloren gingen, hatten sich jene erhalten. Der hl. Isidor sollte
dieselben aufgefunden, gesammelt und vermehrt haben und
unter seinem Namen bot jetzt Pseudo-Isidor die wichtige
neuaufgefundene Sammlung der Welt dar, verbunden mit
der Hispana, welche er schon zuvor durch Emendation
des Textes und durch obengenannte Einschaltungen seinem
Zwecke dienstbar gemacht hatte. Vorsorglich nahm er neben
den falschen Dekretalen auch noch andere echte und apo-
kryphe Stücke aus bekannten gallischen Sammlungen in die
Hispana auf. So begegnete er im voraus geschickt jedem
Verdachte und jedem Zweifel. Dass er aber mit seiner Fiktion
über die Herkunft der Dekretalen bei den Zeitgenossen
Glauben fand, zeigen am besten die Worte Hinkmars:[2])
„Scriptum namque est in quodam sermone sine exceptoris
nomine de gestis s. Sylvestri excepto, quem Isidorus episcopus Hispalensis collegit cum epistolis Romanae sedis
pontificum a sancto Clemente usque ad beatum Gregorium
. . .“ Eine Sammlung ohne jene Vorrede mit dem Hinweis
auf den hl. Isidor aber musste berechtigte Zweifel erregen
bezüglich ihrer Herkunft.

Ueber die Zeit der Entstehung der kürzeren Form lässt

---

[1]) Grauert, Histor. Jahrb. d. Görresgesellschaft 1883 p. 606.
[2]) opp. II 793. cf. II. 477.

sich nichts Bestimmtes sagen. Dass Papst Nikolaus 865 eine Form A₁ hatte,[1] wird kaum zu erweisen sein, da nicht feststeht, ob er die Dekretalen überhaupt als Sammlung kannte.[2] Die erste sichere[3] Spur ihrer Existenz haben wir in einer zwischen 883 und 897 in Italien entstandenen Sammlung.[4] Dagegen besass Hinkmar schon 860 alle Dekretalen; denn in seiner Schrift de divortio Lotharii citiert[5] er an mehreren Stellen mit Nennung des Namens Gregors I. Brief an Felix, einmal führt er eine längere Stelle wörtlich an. Da Hinkmar, wenn er von den neuen Dekretalen spricht, immer die vollständige Sammlung meint, so liegt der Schluss nahe, dass er auch schon 852 die grössere Form A₁ hatte.

Ist darum auch nicht absolut ausgeschlossen, dass Pseudo-Isidor selbst zu gleicher Zeit zwei Fassungen seines Dekretalenwerkes publizierte,[6] unseren Formen A₁ und A₂ entsprechend, so muss es doch als unwahrscheinlich bezeichnet werden. Der Umstand, dass gerade vor dem scharfen Damasusbriefe gegen die Chorbischöfe abgebrochen wird, während derselbe doch von Pseudo-Isidor selbst bereits in die recensierte Hispana aufgenommen ward, lässt vermuten, dass die Form A₂ als unvollständige Abschrift von A₁ da entstanden ist, wo man den Kampf gegen den Chorepiskopat nicht kannte, an dem Briefe also kein Interesse hatte, d. h. im Ostreich oder in Italien. Diese Vermutung wird dadurch bestätigt, dass die älteren Handschriften der Form A₂ italienischen und deutschen Ursprungs sind.[7]

---

[1] cf. Hinschius l. c. LVII. Wasserschleben in v. Sybels hist. Ztschr. 1890. p. 236.

[2] Schrörs l. c. 259 A. 82. 266 f. A. 111.

[3] Ueber die Benützung derselben in einer auf der römischen Synode 869 gehaltenen Rede cf. Wasserschleben in v. Sybels hist. Ztschr. 1890 p. 236 f. Über die Existenz der Form A₂ schon unter Papst Nikolaus cf. Grauert l. c. p. 605.

[4] Hinschius l. c. LIII.

[5] opp. I 594. 642. 643. 667. 699. II 829. Dass der Brief pseudo-isidorisch ist, wird fast allgemein angenommen. cf. Hinschius l. c. CVII sq. Scherer l. c. I 224. Schrörs (l c. p. 398) lässt auch die Möglichkeit offen, dass Hinkmar diese Stellen anderswo gefunden habe. Allerdings enthält z. B. die Sammlung der Handschrift von Fécamp (cf. Maassen, Geschichte I. 410 u. I. 784 ff.) den Brief; indessen kann ja nur eine solche Sammlung in Betracht kommen, deren Vollendung vor der Ausgabe der falschen Dekretalen sich erweisen lässt. Das Schreiben verweist wiederholt auf die früheren Dekretalen und ist nicht bloss inhaltlich, sondern besonders sprachlich ganz pseudo-isidorisch. U. a. findet sich auch der charakteristische Sprachgebrach praefixus·antefatus (s. u.).

[6] Grauert l. c. p. 605.

[7] Hinschius l. c. XLI sq. p. LVII. Wasserschleben in v. Sybels hist. Ztschr. 1890 p. 241.

III. Die Hypothese Langens.

Mit einer völlig neuen Hypothese trat 1882[1]) Langen auf. Der Abt Servatus Lupus von Ferrières, bekannt durch seine Schriften im Prädestinationsstreit sowie durch die Abfassung mehrerer Koncilsschreiben, soll im Einverständnis mit dem König nach der Synode von Paris 849 die falschen Kapitularien Benedikts in die Form der Dekretalen gebracht haben, um sie zum Schutze der von Nomenoi verdrängten Bischöfe brauchbar zu machen. Nomenoi wendete sich an Papst Leo IV. mit der Anfrage, ob der Simonie schuldige Bischöfe abgesetzt werden müssten oder nur Kirchenbusse zu leisten hätten. Das Reskript des Papstes v. J. 849[2]) entscheidet, solche Bischöfe seien abzusetzen, aber nur auf einer gesetzmässigen Synode nach canonicae sententiae, nicht nach libelli et commentarii. Letztere bezieht Langen auf die Kapitularien Benedikts und folgert daraus, dass der päpstliche Bescheid direkte Veranlassung für die Abfassung der Dekretalen gewesen sei.

Wie schon oben ausgeführt wurde, hat der Dekretalenfälscher wohl ohne Zweifel mehr Rücksicht auf die Verhältnisse in der Bretagne genommen, als z. B. Hinschius gelten lässt, wenn auch manche der von Langen gefundenen Beziehungen fast gesucht erscheinen ebenso wie diejenigen der Vorrede Pseudo-Isidors auf obengenanntes Reskript des Papstes.[3]) Aber als unmöglich wird man es wohl bezeichnen müssen, dass jene Angelegenheit in der Bretagne Hauptzweck, alles andere sekundäre Absicht gewesen sei. Wozu hätte es in diesem Falle einer solchen Masse von Dekretalen bedurft? Wozu der Kampf gegen den Chorepiskopat und gegen die Übergewalt der Metropoliten, wozu die vielen Beziehungen auf Ebo? Sehr bedenklich ist, dass die gross-

---

[1]) in v. Sybels hist. Ztschr. 1882 473 ff.
[2]) Mansi XIV, 882.
[3]) l. c. p. 483 ff.

artige Dekretalenfälschung, deren Ziel die Erhebung der
geistlichen Gewalt über die weltliche war, im Einverständ-
nisse mit dem Könige entstanden sein soll.[1]) Dieses Bedenken wird nicht entkräftet, wenn Langen sagt, das Werk
sei zunächst gegen Nomenoi gerichtet gewesen. Die Dekretalen waren eben allgemein und wurden in kurzem
auch allgemein geltend gemacht. Ohne Zweifel waren
ferner die wichtigsten Sätze Pseudo-Isidors, z. B. nur
der Papst könne Synoden berufen, kein Kleriker könne von
Laien gerichtet werden, nicht neu. „Wäre durch die Dekretalen eine ganze Umgestaltung der Kirchenverfassung ins
Leben gerufen worden, hätte sich die ganze Gestalt der
Hierarchie durch sie verändert und einen bisher ganz un-
bekannten, ganz uneingeleiteten Charakter erhalten, dann
wären dieselben das grösste Wunder der Welt".[2]) Dadurch
aber, dass Pseudo-Isidor das, was bis jetzt nur Anschauung
einer grossen Partei war, durch die geheiligte Autorität der
ersten Päpste schon als positives Kirchenrecht aufstellen
liess, förderte er diese Entwicklung mächtig. „Er lieferte
gefälschte Beweisdokumente für einen seit lange geführten
Process."[3]) Im Einverständnis mit dem König scheint dies
unmöglich. Dass aber der pseudo-isidorische Primat nichts
mit einer selbständigen Landeskirche, wodurch der König
hätte gewonnen werden können, zu thun hat, wurde schon
oben gezeigt. Eine Schwierigkeit bietet die Hypothese
Langens auch bezüglich der Zeit und des Verhältnisses der
Dekretalen zu den Kapitularien. Die Autorschaft der letzteren,
deren Priorität vor den Dekretalen ja wohl zweifellos ist,
wäre dadurch wieder ganz ins Unbestimmte gerückt; das
Riesenwerk der Dekretalen aber nebst den Kapiteln Angilrams wäre in ungefähr zwei Jahren vollendet worden.[4]) Was
die stilistischen Übereinstimmungen in den Schriften des
Lupus mit den Dekretalen betrifft, so wird aus dem gleich-
mässigen Gebrauch des Wortes stylus oder daraus, dass Lupus
wie Pseudo-Isidor in der Vorrede den Leser anspricht,[5])
keine Schlussfolgerung gezogen werden können. Lupus
schreibt einen ganz anderen Stil als Pseudo-Isidor; um nur
eines zu erwähnen: Der für die Dekretalen charakteristische
Ausdruck (s. u.) praefixus-antefatus findet sich bei ihm nicht;

---

[1]) L c. p. 490
[2]) Hefele I. c. p. 638.
[3]) Roth, Rudorffs Ztschr. f Rechtsgeschichte V 1866 p 27.
[4]) l. c. p. 476.
[5]) l. c. p. 489.

auch statt der Verbindungen mit fastidium bedient er sich
anderer Wendungen (s. u.); dass ferner Lupus auch sonst das
Verhältnis zwischen geistlicher und weltlicher Gewalt ganz
im pseudo-isidorischen Geiste darstelle,[1] lässt sich schwerlich begründen. Das Beispiel, welches Langen hiefür citiert,
erfordert aber eine eingehendere Betrachtung; es handelt
sich um das Recht des Königs auf Besetzung der Bischofstühle.

Karl der Grosse und auch Ludwig der Fromme ver-
fuhren in der Besetzung der Bischofstühle ziemlich nach
eigenem Gutdünken. Der Kaiser schickte einen ihm ergebenen Geistlichen, meist vom Hofe, den der betreffende
Metropolit zu ordinieren hatte. Die Verleihung des Bistums
galt als largitio des Kaisers. Hatte der betreffende Klerus
selbst einen Bischof erwählt, so war die königliche Bestätigung notwendig.[2] In den letzten Regierungsjahren
Ludwigs und unter dem König Karl führte dies Verhältnis
zu argen Missständen, indem Bischofsitze und Abteien lange
unbesetzt blieben und die Kirchengüter an Laien vergeben
wurden. Gleichwohl muss es eine Partei gegeben haben
vor allem im Hofklerus, welche die vom Kaiser geübten
Rechte anerkannte und verteidigte.[3] Dagegen fehlte es
auch an solchen nicht, welche das Recht des Kaisers prin-
cipiell bekämpften. Zu ihnen gehörte vor allen Florus, ein
Diakon der Lyoner Kirche, welcher in einer ganz kleinen
Schrift „de electionibus Episcoporum", die ungefähr 820 geschrieben ist, mit aller Entschiedenheit denen entgegentritt,
welche die Mitwirkung oder Zustimmung des Kaisers bei
Bischofswahlen als wesentlich bezeichneten.[4] So sagt er
cap. 4: „Unde graviter quilibet Princeps delinquit, si hoc
suo beneficio largiri posse existimat quod sola divina gratia
dispensat, cum ministerium suae potestatis in huius modi
negotium peragendo adiungere debeat, non praeferre." Ka-
nonisches Recht sei es, dass nach dem Tode eines Bischofs

---

[1] l. c. p. 489. ep. 81 in der Ausg. d. Lupus von Baluze.
[2] cf. z. B. ep. 98 von Lupus; can. X der Synode von Verneuil
844 u. a. cf. Alb. Hauck, Kirchengesch. Deutschl. II, 185 ff.
[3] Gegen diese sind die Worte von Lupus gerichtet (ep. 25): „Ce-
terum fama versatur inter nos clericos palatii diversorum coenobiorum
sibi dominium optare atque poscere, quibus nulla sit alia cura nisi ut
suae avaritiae oppressione servorum dei satisfaciant."
[4] Über die gleiche Ansicht Alkuins cf. A. Hauck, Kirchengesch.
Deutschl. II, 185 f.

aus dem Klerus der betreffenden Kirche durch Klerus und
Volk ein Nachfolger gewählt und von der legitimen Anzahl
von Bischöfen ordiniert werde. Der so Gewählte und Ordinierte sei Bischof, auch wenn die weltliche Gewalt nicht
zustimme. Die Bestätigung durch letztere sei unwesentlich:
„quod vero in quibusdam regnis postea consuetudo obtinuit,
ut consultu Principis ordinatio fieret episcopalis, valet utique
ad cumulum fraternitatis, propter pacem et concordiam mun-
danae potestatis." (cap. 4.) Und nicht bloss theoretisch
wurde das von der Krone geübte Besetzungsrecht der Bischofstühle bestritten, der oben von Langen citierte Brief
Wenilos oder Lupus an den Metropoliten Amulo von Lyon
bietet ein Beispiel, dass sich ein Metropolit thatsächlich
weigerte, den vom König geschickten Kandidaten, einen
Verwandten desselben, zu ordinieren. Wenilo, der Erzbischof von Sens, ersuchte a. 844 im Auftrage Karls den
Lyoner Metropoliten, die beiden vom König empfohlenen
Kandidaten als seine Suffragane zu weihen. Dabei gebraucht
er die Worte: „Idque vestrae prudentiae Dominus noster
iussit suggerere non esse novicium aut temerarium, quod
ex palatio honorabilioribus maxime Ecclesiis procurat an-
tistites." Pipin habe von Papst Zacharias das Privileg erhalten, die Bischöfe zu ernennen; Amulo möge darum ebenso
wie seine Vorgänger dies Recht anerkennen. Lyon gehörte
allerdings nicht zum Reiche Karls, sondern Lothars; so
mag sich erklären, dass der König den Metropoliten in dieser
Weise bitten lässt und sogar seine besondere Gunst in Aussicht stellt. Dass aber sein Recht eigens begründet wird
mit dem Hinweis auf jenes päpstliche Privileg und ausdrücklich der Einwand, als erhebe er einen neuen Anspruch, zurückgewiesen wird, lässt vermuten, dass Amulo dasselbe
als dem kanonischen Rechte zuwider laufend bezeichnet
hatte. Zweifellos bestand also schon zur Zeit Pseudo-Isidors
eine Partei, welche ein Eingreifen der weltlichen Gewalt
bei der Ernennung von Bischöfen als unkanonisch bekämpfte.
Es möge noch an das Beispiel Hinkmars erinnert werden,
der die freie Wahl der Bischöfe stets energisch gegenüber
Karl verteidigte[1]) und in einem Schreiben an Ludwig sagt,
„nur die Hölle könne den Gedanken ausgespieen haben, dass
die Bestellung der Bischöfe nicht Sache der Kirche, son-

---

[1]) Schrörs l. c. 435 A. 89.

dern der weltlichen Regierung sei."[1]) Er räumt der Krone nur das Recht der Bestätigung nach vollzogener kanonischer Wahl ein. Pseudo-Isidor ist ein extremer Vertreter der streng kirchlichen Partei seiner Zeit und dass er mit den Ausführungen des Florus vollständig einverstanden war, darüber lassen einige Stellen der Dekretalen keine Zweifel bestehen. Indessen beobachtet er in diesem Punkte eine merkwürdige Zurückhaltung. Ps. Anaklet (bei Hinschius p. 75 c. 18) und Ps. Gaius (p. 218 c. 7) sprechen nur von der Ordination eines Bischofs; etwas deutlicher sagt Ps. Anaklet (p. 78 c. 21), das Recht der Wahl sei „bonis sacerdotibus et spiritalibus populis" überlassen. Gleich aber biegt der Gedanke um in das Lieblingsthema der Dekretalen: Nur ein Würdiger darf gewählt werden, also kann er auch nur von Würdigen angeklagt werden. Sehr klar ist die Stelle bei Ps. Anicet (120 c. 1. 2.): Der Erzbischof muss von allen Suffraganen gewählt und ordiniert werden. Bei einem Suffraganbischof ist die Ordination auch kanonisch, wenn sie mit Einwilligung der übrigen Komprovinzialbischöfe und auf Befehl des Metropoliten von dreien vollzogen wird. „Sed melius est si ipse (sc. archiepiscopus) cum omnibus eum qui dignus est elegerit et cuncti pariter sacraverint pontificem." Hier wird also die Bischofswahl als Befugnis der Provinzialsynode, nicht als solche von Klerus und Volk bezeichnet, während Ps. Pelag. I. (p. 729) nur vom Erzbischof spricht: „sicut potestatem habes episcopos et sacerdotes regulariter titulare et ordinare, ita causa necessitatis aut utilitatis habes et mutare ac de titulo ad titulum translatare." Vom König und einem Bestätigungsrechte desselben wird nie ein Wort gesprochen; Pseudo-Isidor begnügt sich, an anderen Stellen ganz allgemein ein Eingreifen desselben in kirchliche Verhältnisse und ein Vorgehen gegen die Bestimmungen der Päpste als unkanonisch zurückzuweisen.[2]) Es ist ungefähr dasselbe Verhältnis wie

---

[1]) Schrörs l. c. 437.

[2]) Ps. Marcellin p. 223. c. 4. Ps. Symmach p. 683. Ps. Steph. p 186 c. 11. „Laicis quamvis religiosi sunt nullo tamen de ecclesiasticis facultatibus aliquid disponendi legitur unquam adtributa facultas.» Charakteristisch ist eine Interpolation in der recensierten Hispana, can. XIV. Conc. Tolet. (bei Hinschius p. 360); cf. Maassen, Sitzungsberichte Bd. 108 p. 1082. Den Text der Hispana: Suggerente concilio id gloriosissimus dominus noster canonibus inserendum praecepit" gestaltete Pseudo-Isidor um: „Conventus noster hoc canonibus inserendum praecepit."

bei den Synoden; das Recht, eine solche legitim zu berufen, gehört nach Pseudo-Isidor ausschliesslich dem Papste. Indirekt, aber nichts desto weniger entschieden wird das vom König in Wirklichkeit geübte Recht bekämpft. Ueber die Anschauung des Dekretalenfälschers im Punkte der Bischofswahlen kann also kein Zweifel bestehen. Jener Brief bei Lupus verteidigt aber die Ansprüche des Königs; er ist darum nichts weniger als ein Beweis, dass Lupus das Verhältnis zwischen geistlicher und weltlicher Gewalt ganz im pseudo-isidorischen Geiste darstelle.

Auch die scharfsinnige Kombination Langens[1]) bezüglich des Namens Isidorus Mercator und die Thatsache, dass die Dekretalen keinen Bezug auf den Prädestinationsstreit nehmen, bieten der Hypothese keine starke Stütze. Es findet sich allerdings keine Stelle, an welcher Pseudo-Isidor für oder gegen Gottschalk offen Stellung genommen.[2]) Der Verfasser der Dekretalen, wer derselbe auch sei, musste sich eben wohl hüten, in dieser heiklen Frage, welche die gelehrtesten Männer des neunten Jahrhunderts so angelegentlich beschäftigte, durch eine direkte Bezugnahme seine Fälschung der Gefahr der Entdeckung auszusetzen.

---

[1]) l. c. 486 ff.

[2]) Es liesse sich vielleicht die Stelle im Briefe Agapits (bei Hinschius p. 707), welche Leo d. Gr. entnommen ist, hieher beziehen: »Effusio enim iusti sanguinis Christi tam fuit dives ad pretium, ut si universitas captivorum in redemptorem suum crederet, nullum diaboli vincula retinerent.«

IV. Die Hypothese B. Simsons.

Es bleibt nun noch die Hypothese Simsons übrig. Da dieselbe in engstem Zusammenhange mit zwei Schriftwerken von Le Mans steht, den Acta pontificum Cenomanensium und den Gesta Aldrici, so ist es unerlässlich, auf diese zuvor genau einzugehen.

a) Die beiden Schriftwerke von Le Mans.

Die »Actus pontificum Cenomannis in urbe degentium«,[1] eine Bistumsgeschichte von Le Mans, sind in zwei Handschriften überliefert, von denen die eine aus dem 13. Jahrhundert stammt und sich gegenwärtig in Le Mans befindet. Die zweite, zur Zeit in der Nationalbibliothek zu Paris, ist eine im 17. Jahrhundert von André du Chesne gefertigte Kopie nach einem von ihm nicht genannten und jetzt verlorenen Manuskripte. Diese Kopie wird auch als Colbertina bezeichnet, weil Baluze dieselbe in der Bibliothek Colberts entdeckte. Publiziert sind die Actus von Mabillon[2] nach den genannten zwei Handschriften. Mabillon kannte zuerst nur die von Le Mans, welche die Bistumsgeschichte von dem ersten Bischof Julian bis Aldrich (832—857) vollständig und über Aldrich selbst einen Teil jener Biographie enthielt, welche Baluze als Gesta Aldrici ediert hatte.[3] Der zweite Teil dieser Biographie, die Dekretale Gregors und die Biographien der nächsten neun Nachfolger Aldrichs fehlten. Erst nach Veröffentlichung der ersten Ausgabe erhielt Mabillon durch Baluze Kenntnis von der Colbertinischen Handschrift, welche zwar die Biographien von Julian bis Viktirius nicht enthielt, wohl aber die der neun Nachfolger Aldrichs

---

[1] cf. Havet, Questions Mérovingiennes VII. in der Bibl. de l'Ecole des chartes. Bd. 54. 1893. p. 645 ff.
[2] Vetera analecta, hier citiert nach der Folioausgabe, Paris 1723. p. 237 sqq.
[3] Mab. l. c. p. 297.

únd über Aldrich selbst ein einziges zusammenfassendes Kapitel mit einem Hinweis auf die Gesta Aldrici nebst der Dekretale Gregors IV. Eine Note[1]) Mabillons in der neuen Ausgabe war Veranlassung; die zwei Handschriften der Bistumsgeschichte als zwei verschiedene Redaktionen; eine kürzere und eine ausführlichere, zu betrachten.[2]) Das wirkliche Verhältnis[3]) ist; dass beide sich gegenseitig ergänzen für die fehlenden Teile; in den Stücken aber, die sich in beiden finden, stimmen sie im Texte völlig überein.

Die Bistumsgeschichte ist ein Werk mehrerer Verfasser, die zu verschiedenen Zeiten gelebt haben. Die erste Biographie, aus der dies unzweifelhaft erhellt, ist die Aldrichs.[4]) Der Verfasser dieses Kapitels war ein Zeitgenosse Aldrichs; denn nur ein solcher konnte schreiben: ›Decedente Francone succedit Aldricus; cui Dominus oramus hanc degere vitam secundum suam voluntatem tribuat.‹ Er verweist[5]) auf die Gesta Aldrici als eine ausführliche Biographie und schliesst sein Werk in aller Form ab. Ohne jegliche Vermittlung folgt die Dekretale Gregors IV. für Aldrich, worauf die Erzählung fortgeführt wird: Domnus igitur Aldricus restitutus in pace defunctus est.‹ In gedrängter Kürze folgen die Biographie Roberts, eine einfache Notiz über Lambert und die Biographie des Ganberius, welche schon einen Zeitraum von fast 60 Jahren umfassen. Die Auffassung von der Dekretale Gregors (s. u.) und dem Streite Roberts mit dem Kloster Calais beweisen, dass der Schreiber den Ereignissen und der Zeit ferne gestanden hat.

Dagegen lässt sich mit ziemlicher Sicherheit beweissen, dass der Teil der Actus von Julian bis Aldrich ohne die Dekretale von einem einzigen Verfasser herstammt. Mabillon[6]) hat den Hauptgrund bereits ausgesprochen: ›Idem in omnibus genius ac stilus idemque scopus‹. Von den Eigentümlichkeiten des Stiles möge zunächst bloss diese erwähnt werden, dass der Verfasser unglaublich oft Verba wie an-

---

[1]) Mab. 1. c. 297: ›Acta Chesniana incipiunt a Principio Episcopo et in Guidone desinunt suntque veluti quoddam nostrorum compendium.‹
[2]) Simson, Entstehung p. 45; auch in v. Sybels hist. Ztschr. 68. 1892 p. 197. Schrörs, Rec. Simsons in der literarischen Rundschau, Freibg. 1888 No. 12.
[3]) Havet, l. c. 54, 649 ff.
[4]) Mab. 1. c. 297 sq.
[5]) Mab. l. c. 298: ›si quis hoc investigare aut scire voluerit, in alia scedula, quae de eius actibus est causa memoriae et utilitatis conscripta, plenius invenire poterit.‹
[6]) l. c. p. 336.

tefatus, antedictus, praescriptus etc. etc. gebraucht; um nur
einige Beispiele anzuführen, die Biographie Julians (c. 1)
umfasst fünf Halbseiten und enthält über sechzig, die Aigli-
berts (c. 14) und die Herlemunds (c. 17), je 3 Halbseiten
umfassend, enthalten über achtzig solcher Ausdrücke. Unter
diesen findet sich auch von Julian bis Aldrich »praefixus«[1] in
derselben Bedeutung, ein Sprachgebrauch, den der nächste
Fortsetzer nicht kennt. Derselbe schreibt auch »prae taedio«,[2]
während der Verfasser des Teiles bis Aldrich durchweg
»propter« gebraucht.[3] An zahlreichen Stellen spricht der
Verfasser von sich selbst in der ersten Person.[4] Entschei-
dend aber ist, dass das Werk von Anfang an bis auf Aldrich angefüllt ist mit Fälschungen, Fabeln sowohl als Urkunden. Vom ersten Kapitel bis zum letzten erkennen wir
denselben Geist des Schreibers, dessen Sinnen und Trachten
nur auf den Güterbesitz des Bistums gerichtet ist. Im ersten
Kapitel lässt er den Julian, einen vornehmen Römer und
Schüler des Papstes Clemens I., den kaum bekehrten Gau
von Le Mans schon regelrecht in Pfarreien einteilen und
genau bestimmen, welchen Tribut eine jede an den Bischof
zu entrichten hat. Im zweiten Kapitel erzählt er, um die
Ansprüche auf das Kloster Calais zu begründen, schon Turibius habe am Flusse Anisola ein Kloster errichtet, das nur
in Zerfall geraten sei, eine Fabel, die ganz ihm eigen ist
und mit den Gesta Aldrici im Widerspruch steht.[5] Abgesehen von kurzen chronologischen Notizen, welche fabelhafte
Irrtümer enthalten, und der Angabe der Ordinationen bietet
er dem Leser nichts als Berichte, wie das Bistum Klöster
und Landgüter erworben und bei Streitigkeiten durch »viele
authentische Urkunden« seine rechtmässigen und legalen
Ansprüche durchgesetzt habe. Ganz besonders charakteristisch ist die Fabel in cap. 12, nach welcher ein reicher
Mann nach langem Ueberlegen, wem er sein Gut vermachen
solle, zuletzt »ohne Zweifel auf göttliche Eingebung« das
Bistum Le Mans zum Erben bestimmte und dadurch den
Himmel erwarb. Für den Bischof Gauziolin (cap. 17), durch
dessen Schuld das Bistum mehrere Klöster verloren hatte,
sollen alle Bischöfe und Priester beten, »ut ab ipsius malis
et flagitiis annuente Domino liberari et poenas tartari evadere

[1] Simson, Entstehung 65 ff.
[2] Mab. l. c. c. 28 p. 303.
[3] Sims. Entstehung p. 63.
[4] Waitz M. G. XV. 305.
[5] Havet l. c. 54, 686 f.

mereatur.‹ Die grauenvolle Blendung Herlemunds hält der Verfasser offenbar für kein so grosses Verbrechen wie das letztere. Ein Verwalter aber, der sein Lehen aus der Gewalt des Bistums in die des Kaisers brachte, starb eines grauenvollen Todes, indem er langsam verbrannte. Ja selbst sein Grab stand noch acht Tage lang in Flammen; ein unerträglicher Geruch ging von ihm aus und die, welche in der Nähe waren, hatten keine Ruhe, bis sie den Leichnam an einem einsamen Orte in einen tiefen See warfen. Die gefälschten Urkunden aber, welche bis auf Aldrich das Werk füllen, sind so zahlreich, ihr Inhalt und ihre Anlage so keck, dass man in der Geschichte der Fälschungen kaum viele ähnliche Beispiele finden wird.

Auf einige Stellen, welche gegen eine einheitliche Abfassung des Teiles bis Aldrich zu sprechen scheinen, hat bereits Mabillon[1]) aufmerksam gemacht. In der Biographie des Principius (c. 7), der ungefähr 300 Jahre vor Aldrich lebte, heisst es: ›sicut ab ipsis didicimus, qui cum eo conversari solebant‹ und ›ut praedicti sui discipuli nobis retulerunt‹.[2]) Mabillon erklärt dies damit, dass der Verfasser eine ihm vorliegende Biographie zu genau benutzte, und bemerkt, ähnliche Redewendungen fänden sich auch sonst, ohne indessen ein Beispiel anzugeben. Ein solches bieten die 835—840 geschriebenen Gesta Abbatum Fontanellensium (M. G. SS. II 270 ff.), wo im cap. 13 von einem i. J. 756 Gestorbenen gesagt ist: ›testantur plurimi, qui illum viderunt‹. Aus anderen Stellen[3]) geht hervor, dass die Kapitel nicht in der uns überlieferten Ordnung geschrieben sind; die Sammlung des Stoffes und die Redaktion umfasste eine Zeit von ungefähr zwanzig Jahren. Kleinere Widersprüche mit den Gesta Aldrici[4]) aber beweisen, dass er dieselben nur allgemein kannte, aber nicht selbst verfasst hat. Er benutzte verschiedene Vorlagen und offenbar war es gar nicht seine Absicht, eine kritisch genaue Geschichte zu schreiben, sondern nur, seine Fälschungen unterzubringen. Es können darum die vorhandenen kleineren Widersprüche nicht Grund genug sein, verschiedene Verfasser anzunehmen. Zwei Partien indessen sind sicher später eingeschoben,

---

[1]) l. c. 336.
[2]) cf. eine ähnliche Stelle in c. 19. Waitz l. c.
[3]) Havet l. c. 54, 683 ff.
[4]) Simson, Zeitschrift f. Kirchenr. l. c. p. 153; dann in v. Sybels hist. Ztschr. 1892 p. 206. Vgl. ob. p. 36 die Fabel betr. des Bischofs Turibius.

3

vielleicht von demselben Interpolator: Die translatio s. Juliani
(cap. I), wo es heisst »usque ad illius (sc. Aldrici) Episcopi
tempora«, und dann »longe autem post mortem Aldrici
Episcopi»; sowie die translatio s. Benedicti (c. 13, von denique
inter cetera bis tempore namque . . .). Dass auch letzteres
Stück unzweifelhaft eine spätere Interpolation ist, beweist
— ganz abgesehen von chronologischen Gründen[1]) — die
Thatsache, dass der Zusammenhang vollständig gestört ist.
Im Anfange des cap 13 wird erzählt, unter Clodoveus
seien viele Klostergründungen entstanden: »Qua de re con-
tigit, ut eius tempore multa per regnum eius constructa
fierent monasteria, multaque religiosorum actuum augmen-
tarentur insignia«. Dazu bildet der Absatz »tempore namque«
die erwartete naturgemässe Fortsetzung, indem gleich ein
Beispiel von einer solchen Gründung erzählt wird. Das
lange Zwischenstück aber ist schon durch die einleitenden
Worte: »denique inter cetera sui temporis divinorum actuum
indicia« als Interpolation gekennzeichnet, ebenso durch die
Form des Schlusses, wie er sich in den Actus sonst nur
am Ende der Biographien findet.
Der Teil der Bistumsgeschichte bis Aldrich ist also
von einem einzigen Verfasser zu Lebzeiten Aldrichs geschrieben und zwar weniger zu dem Zwecke, eine Geschichte
der Bischöfe zu bringen, sondern mehr als Einkleidungsform
für eine Masse gefälschter Urkunden, durch welche die
Ansprüche des Bistums auf eine Reihe von Klöstern und
Landgütern, besonders aber auf das Kloster St. Calais als
rechtmässig erwiesen werden sollen.
Das zweite Schriftstück von Le Mans, gewöhnlich kurz
citiert als Gesta Aldrici, ist nur in einer einzigen Handschrift
aus dem elften Jahrhundert erhalten und wurde zum ersten
Male ediert von Baluze,[1]) welchem noch Fragmente einer
anderen Handschrift zu Gebote standen.[2]) Das Manuskript
enthält an der Spitze einige Versifikationen, Huldigungs-
gedichte an Aldrich, bekannt unter dem Namen »carmina
Cenomannensia«,[4]) sowie eine prosaische Vorrede.

---

[1]) M. G. SS. XV, I 474 sqq. cf. Waitz l. c. p. 306. Simson, v. Sybels
hist. Zeitschrift 1892 p. 206.
[2]) Miscellaneorum lib. III Par. 1680.
[3]) cf. praef. ad lectorem bei Baluze l. c.
[4]) Dümmler, Mon. Germ. Poet. Lat. aevi Carol. II 1884 p. 623—635.
Piolin, Histoire de l'Eglise du Mans II 535—546. Ueber die Echtheit
der Vorrede cf. Havet l. c. 54, 610. Neuausgaben der Gesta: Waitz,
M. G. XV (1887). 304 ff. (unvollständig). Charler-Froger, Mamers 1889.

Es liegt nahe, diese Einzelbiographie als einen ausführlicheren Teil, als ein längeres Kapitel der grossen Bistumsgeschichte, von demselben Verfasser wie diese geschrieben, zu betrachten [1]) Dagegen spricht aber schon die handschriftliche Ueberlieferung ; denn die Verbindung der Gesta mit den Actus in der Handschrift von Le Mans, welche Mabillon zuerst vorlag, ist keine ursprüngliche. Die echte Form der Actus ist die von Mabillon edierte, welche über Aldrich nur ein kurzes resumierendes Kapitel enthält mit dem ausdrücklichen Hinweise au' die Gesta als ein selbständiges Werk nebst der Dekretale Gregors Statt dieses excerptartigen Kapitels hat ein späterer Abschreiber die Gesta selbst in die Actus aufgenommen, aber nicht vollständig, sondern nur einige Kapitel.[2]) Aus dem Stile der beiden Schriftstücke scheint weder für noch gegen die Identität der Verfasser ein sicherer Schluss gezogen werden zu können. Die Gesta haben allerdings eine etwas unbeholfene Schreibweise,[3]) viele grammatische Fehler, und bringen nicht wenige Wiederholungen einzelner Wendungen wie auch ganzer Sätze,[4]) während die Actus zwar auch nicht frei von grammatischen Fehlern, aber doch in leichterem, fliessenderem Stile geschrieben sind. Auch die formelhaften Wendungen für das Einreihen von Urkunden sind in beiden nicht unerheblich verschieden.[5]) Andererseits sind doch beide Schriften stilistisch sehr gleichartig. Dagegen nötigen innere Gründe zu der Annahme, dass beide Werke verschiedene Verfasser haben.

Der Schreiber der Actus beginnt mit den Worten: »Primus Cenomannica in urbe episcopus«; der Autor der

---

[1]) Roth, Benefizialwesen, p 451. Sickel, Acta Karolingorum II 287. Duchesne, Les anciens Catalogues episcopaux de la province de Tours p. 45 48. cf. die übrige Literatur bei Havet l. c. 54, 602 ff.
[1]) Havet l. c. 54, 604.
[2]) cf. Waitz l. c. Havet l. c. 54, 615.
[4]) cf. bes. cap. 3 und 5, dann den häufigen Gebrauch von meruit mit Infinitiv. Die Gesta gebrauchen enucleatim nicht. cf Simson p 68. Beide Schriftstücke stimmen überein in dem häufigen Gebrauch von Verben wie antefatus und besonders praefixus, dann in der beliebten Formel »prout melius potuit« = nach besten Kräften, cf. Gesta c. 26. 28. 28. 29. 46. 72. Actus c. 1. 1. 4. 8. 8. 8. etc. Beide haben durchgängig die Form propter fastidium . . ., nie anders, s. Simson, Entstehung p 59 f. Gesta c. 5: »tanta (sc. signa), quanta ut reor duo vel tres quaterniones minime capere valerent«; Actus c. 4: »tanta .. signa, quanta ut reor, tres aut quattuor quaterniones non possunt capere« etc.
[5]) Waitz l. c.

3*

Gesta sagt im ersten Kapitel: »Episcopatum ei (sc. Aldrico) quippe quoddam, cuius vocabulum est Cenomannis . . . a Hludovico Imperatore est commissum«. Allerdings sagt er auch im nämlichen Kapitel: »in quadam civitate cuius vocabulum est Mediomatricis, quae et alio nomine Mettis vocatur«, dann cap. 4: »villam quandam, cuius vocabulum est Buxarias«, »silva, cuius vocabulum est Felicionis«, c. 28 »de monasterio, quod Anisola nominatur« u. a., so dass obiger Ausdruck mehr als Lieblingsphrase des Autors er-scheint und nicht etwas so gänzlich Unbestimmtes bezeichnen muss, wie es bei einem vereinzelten Vorkommen der Fall wäre. Immerhin ist es wohl unmöglich, die Worte dem-selben zuzuweisen,[1]) der eine Geschichte der Vorgänger Aldrichs geschrieben hatte oder schreiben wollte und schon im Beginn seines Werkes alles auf Le Mans Bezügliche voraussetzt. Von entscheidender Bedeutung aber ist fol-gender Umstand. Die Gesta enthalten c. 7 und 8 zwei Urkunden, vom 6. März 572 und 4. Sept. 581, des Inhaltes, dass Bischof Domnolus dem Vincenzkloster einige Schenk-ungen gemacht habe. Wie wir aus c. 6 erfahren, wurde Aldrich der Besitz des Klosters streitig gemacht, weil das-selbe dem Fiskus gehöre Er konnte keine Urkunden vor-zeigen, behielt aber doch Recht. Erst nach der Entscheidung fand er in der Abtei die obengenannten Urkunden, die in der Gestalt, wie die Gesta sie enthalten, zweifellos echt sind,[2]) für die Streitfrage aber, wo es sich um den Besitz des ganzen Klosters handelte, so gut wie keine Beweiskraft hatten. Die Actus bringen dieselben Urkunden, aber mit bedeutsamen Unterschieden, wie folgende Gegenüberstellung einer derselben zeigen wird.

Gesta c. 8.	Mab. l. c. cap. 9 p. 252.
Item Exemplar quod Dom-nus Domnolus de villa Canon per consensum Canonicorum suorum ad Ecclesiam sancti Vincentii fecit. Anno XX. regni Domini nostri Chilperici gloriosis-simi Regis, pridie Nonas Septembris, ego Domnolus in	Item exemplar quod dom-nus Domnolus de villa Canon per consensum Canonicorum suorum, ad ecclesiam sancti Vincentii fecit anno XX regni domni nostri Chilperici glo-riosi Regis, pridie Nonas Septembris. Ego Domnolus in Christi

[1]) Waitz l. c. p. 304.
[2]) Havet l. c. 54, 635 ff.

Christi nomine Episcopus cum evocassem Domno et fratri meo Andoveo Episcopo Andegavae civitatis visitare sanctis liminibus patroni peculiaris mei Victorii Episcopi, immo et solemniter ipsius celebrassem, cum consensu omnium fratrum meorum Presbyterorum, quia ante tempus testamentum meum condidi et in ipsam voluntatem meam adhuc non complevi, quod meum conscriptum videtur volo in omnibus conservetur et haec paginola plenum capiat opto robur. Dono basilicae sanctorum Vincentii et Laurentii, quam meo opere construxi et aedificavi pro salvatione civitatis et populi conlocavi colonicam cognominatam Canono cum agris, pratis, pascuis, silvis, aquis, aquarumve decursibus, et mancipiola duo Waldardo cum uxore sua vel infantibus eorum qui ibidem nunc commanere videntur, ab hodierno die praedictus Abbas antedicti loci ad stipendia fratrum nuncupatae basilicae faciat revocare, et tamen post obitum meum, quando Deus iusserit, qui praesens fuerit ordinatus de loco praefato commemorationem meam annis singulis adimplere procuret. Ideo tibi Niviarde Diacone ac defensor nostrae Ecclesiae, indico atque iubeo,

nomine Episcopus. Cum evocassem domnum et fratrem meum Audoveum Episcopum Andegavae civitatis visitare sancta limina patroni pecularis mei Victoris Episcopi, immo et solemnitatem ipsius celebrare, cum consensu omnium fratrum meorum prebyterorum, quia ante tempus testamentum meum condidi, et in ipsum voluntatem meam adhuc non complevi; quod in eo conscriptum videtur bonum, volo ut in omnibus conservetur, et haec paginola plenum accipiat opto roborem. Dono igitur basilicae sanctorum Vincentii et Laurentii, quem meo opere construxi et aedificavi pro salvatione civitatis et populi, praeter colonitam cognominatam Pontificim, Canon cum agris, silvis, pratis, pascuis, aquis, aquarumve decursibus, et mancipiis, Wardum cum uxore sua vel infantibus eorum, qui ibidem nunc commanere videntur, ut ab hodierna die Abbas antedicti loci ad stipendia fratrum nuncupatae basilicae faciat revocare, et sub iure memoratae Cenomannensis ecclesiae iuste et legitime esse debere censeo. Et peto, ut post obitum meum, qui Abbas fuerit ordinatus in loco praefato, commemorationem meam annis singulis adimplere procuret. Ideo tibi Niviarde ut hoc tua traditione, sicuti nunc a dicta Ecclesia possidetur, cum omni soliditate vel adiacentia Suolevoo Abbati facias consignari. Hoc vero inserendum rogavi, ut qui voluntati meae obvius esse voluerit, maledictionem illam incurrat quam Propheta in psalmo CIX decantavit, et praesens pagina maneat inconvulsa, quam pro rei veritate manu propria subscripsi et Domnis et fratribus meis muniendam rogavi. Domnolus peccator subscripsi. Audoveus peccator subscripsi rogante Domno Domnolo Episcopo. Theodulfus peccator subscripsi. Aimulfus Presbyter subscripsi. Leudoricus Presbyter subscripsi.

diacone ac defensore nostrae Ecclesiae indico atque iubeo, hoc tua traditione, sicut nunc ab Ecclesia possidetur, cum omni soliditate vel adiacentia sua, Leuso Abbati facias consignari. Hoc vero inserendum rogavi ut qui voluntati meae obvius esse voluerit, maledictionem illam incurrat, quam Propheta in psalmo CVIII Judae cantavit: »Fiant dies eius pauci, et Episcopatum eius accipiat alius«. Et praesens pagina maneat inconvulsa, quam pro rei firmitate manu propria subscripsi et domnis et fratribus meis muniendam rogavi. Domnolus peccator subscripsi. Audoveus peccator rogante domno Domnolo Episcopo subscripsi. Theodolfus peccator subscripsi. Aimulfus presbyter subscripsi. Leudoricus presbyter scripsi et subscripsi.

Eine Vergleichung beider Formen zeigt, dass die in den Gesta enthaltene die ursprüngliche ist, im Merovinger Latein geschrieben, während die Form der Actus das Bestreben des Verfassers erkennen lässt, Unklarheiten und grammatische Fehler zu beseitigen, ebenso wie in der zweiten Urkunde[1]). Höchst bedeutsam[2]) aber ist der kurze Zusatz, welcher sich in den Actus findet und unmöglich von einem späteren Abschreiber herrühren kann: »sub iure memoratae Cenomannensis ecclesiae iuste et legitime esse debere censeo«. Durch diese wenigen Worte nämlich wurde die Urkunde für ihren Zweck erst brauchbar. Wie unten gezeigt werden soll, hatte der Verfasser der Actus schon früher mit seinen Fälschungen begonnen, als die Abfassung der Gesta angesetzt werden

---

[1]) Gesta c. 7. Actus c. 9 p. 252. cf. Waitz l. c. p. 306,
[2]) Havet l. c. 54, 637 f.

kann. Die Annahme, dass er auch Verfasser der Gesta sei, würde darum die wohl unmögliche Schlussfolgerung bedingen, dass er, wiewohl schon mit Fälschungen beschäftigt, obige Urkunde zueist in ihrer echten, aber fehlerhaften und wenig beweiskräftigen Gestalt in die Gesta einreihte, bei der Aufnahme in die Actus aber die Umgestaltung vornahm und die wichtige Interpolation dadurch erst auffällig machte. Dass der Verfasser der Bistumsgeschichte nicht auch die Biographie Aldrichs geschrieben hat, geht schon daraus hervor, dass er bei seinem Hinweis auf dieselbe sie nicht als sein Werk bezeichnet, wie er es sorst thut[1]). Er hatte vielmehr die Gesta, wie er selbst sagt, als ein fertiges Werk vor sich und benützte dieselben, wo sie seinen Zwecken brauchbar waren; so war z. B die Urkunde vom 31. Dez. 832[2]), welche darauf hinweist, dass auch Karl der Grosse den Zehnten zu geben befohlen habe, nicht bloss Anlass, sonden vollständig Muster für seine auf den Namen Karls des Grossen ausgestellte Urkunde[3]). Umgekehrt ist die Urkunde der Gesta (c. 15) über den allgemeinen Besitz des Bistums nach der Vorlage einer bereits gefälschten Urkunde Karls d. Gr. (Actus c. 21 p. 293 sq.) abgefasst und verweist ausdrücklich auf dieselbe[4]).

Aber nicht vom ganzen Werke der Gesta gilt dieses Urteil. Denn sicher ist der Teil von cap. 47 an mit seinem Eingang: »Placuit etiam· in hac scedula, quae de quibusdam actibus Pontificum Cenomanica in urbe degentium usque ad Aldricum eiusdem urbis Episcopum conscripta esse dinoscitur . .« nicht von demselben verfasst, der im ersten Kapitel geschrieben hatte: »Episcopatum quoddam, cuius vocabulum est Cenomannis . . .«[5]) Nach Havet[6]) ist es sogar wahrscheinlich, dass bereits Kap. 44 unserer Überlieferung das letzte,

---

[1]) Vita Vict. c. 6 »cuius actus ideo non inseruimus, quia in libello, quem de eius vita et moribus composuimus, plenius et uberius descripsimus«. c. 21 p. 293: »in hoc opusculo, quod de .. Franconis E. actibus nonnulla conscripsimus«.

[2]) Gesta c. 11. Waitz l. c. p. 314 n 4 nimmt die Urkunde als echt an, Sickel und Mühlbacher bezeichnen sie als carta dubiae fidei. cf. Havet l. c. 54, 632.

[3]) Mabillon l. c p 294 sq. c. 21

[4]) Gesta c 15 »Ostendit (sc Aldricus) nobis praeceptum bonae recordationis beati genitoris nostri Domni Karoli in quo et eadem continebantur singillatim nominata quae et in nostro nisi tantum ea, quae nos . . . Aldrico . . reddidimus«.

[5]) Waitz l. c. p. 304 n 4.

[6]) Havet l. c. 54, 605 ff.

nicht einmal vollständig erhaltene ist, welches der ursprünglichen Abfassung angehört. Der vorausgehende Teil ist unzweifelhaft zu Lebzeiten
Aldrichs geschrieben und zwar vor[1] dem Tode Ludwigs d.
Fr. Terminus post quem ist, auch wenn man mit Waitz[2]
schon Kapitel 30 u. f. einem zweiten Verfasser zuteilen
wollte, der 17. März 836, das Datum der in cap. 13 enthaltenen Urkunde. Es besteht aber kein zwingender Grund,
cap. 15 mit dem Urkundendatum 20. Februar[3] 840 als Interpolation zu betrachten Die Urkunde ist allerdings nicht
am rechten Orte; denn sie setzt den längeren Besitz von
dem Kloster St. Calais voraus, dessen Rückgabe an das Bistum erst im Kap. 39 erzählt wird. Die Gesta zeigen aber
auch sonst keine sonderliche Ordnung in der Disposition.
Die Abfassung der Gesta würde somit in die Zeit vom
21. Februar bis 8. Juli[4] 840 fallen. Das Werk wäre in einem
Zuge geschrieben und, wie Havet[5] zu erweisen sucht, von
Aldrich selbst, der diese Autobiographie dem Kaiser über-
reichen wollte. Für letztere Ansicht spricht hauptsächlich
die Stelle in Kap. 25[6]: »Aldrici peccatoris Episcopi«.
Da indessen diese Worte in einer Verfügung Aldrichs für
seinen Diöcesanklerus stehen, so liesse sich annehmen, dass
der Schreiber das betreffende Schriftstück wörtlich benützte.
Havet bringt auch eine Beweisstelle aus der nicht zweifellos echten[7] und von Waitz gar nicht aufgenommenen Vorrede und legt dem Ausdrucke »episcopatum quoddam cuius
vocabulum est Cenomannis« ziemliche Bedeutung bei. Nach
den oben angeführten Parallelstellen muss aber aus den
Worten kaum gefolgert werden, dass der Schreiber derselben
ein Fremder, ein Germane wie Aldrich, gewesen sei. Bestimmt gegen die Autorschaft Aldrichs spricht, abgesehen
von dem für Aldrich selbst doch etwas sehr auffälligen
Elogium im zweiten Kapitel, der Umstand, dass nach den
Carmina Cenomannensia die Biographie ein Werk der
Schüler Aldrichs ist. Warum sollte auch Aldrich sein Werk
pseudonym geschrieben haben? Havet zieht auch aus dem

---

[1]) Havet l. c. 54, 612.
[2]) l. c. p. 307.
[3]) Havet l. c. 54, 613 ff. Ueber das Datum p. 612
[4]) Havet l c. 54, 612 f.
[5]) l. c. 54, 615 ff.
[6]) Waitz l. c. 304 n 2.
[7]) Havet l. c. 54, 619.

Stile einen Schluss auf die Autorschaft des Bischofs, der als Germane in der kurzen Zeit, die er im Kloster von Metz verbrachte, keine grossen Sprachkenntnisse sich habe erwerben können. Indessen sprechen gerade die zahlreichen stilistischen Eigentümlichkeiten, welche die Gesta mit den Actus gemein haben, dafür, dass die Verfasser beider Schriftstücke derselben Schule angehörten. Wohl aber lässt sich annehmen, dass Aldrich direkten Einfluss auf die Abfassung hatte, was vor allem durch die Erzählung seiner Jugendgeschichte im ersten Kapitel wahrscheinlich gemacht wird.

Sind die Gesta glaubwürdig? Über diese Frage gehen die Ansichten sehr auseinander[1]). Von den neunzehn Urkunden des ersten Teiles sind vierzehn von Kaiser Ludwig ausgestellt. Davon hat Sickel[2]) drei[3]) als gefälscht und vier[4]) als verdächtig erklärt. Waitz[5]) hielt von den im ersten Teile der Gesta enthaltenen keine für erwiesen gefälscht, unter welches Urteil allerdings die allgemeine Besitztumsurkunde vom 20. Febr. 840 (c. 15) nicht fallen würde. Nach den eingehenden Untersuchungen Havets[6]) sind die Urkunden bis Kap. 47 sämtlich echt.

Wenn aber die Urkunden, welche Aldrich von Kaiser Ludwig erhalten hat, auch nicht anzufechten wären, so bleibt doch Thatsache, dass sie zum Teil auf Grund gefälschter Urkunden erworben wurden. Aus den Gesta selbst lässt sich ziemlich genau feststellen, seit wann wir es mit solchen zu thun haben. Die Urkunde vom 30. Dez. 832, durch welche Aldrich das Recht auf den Neunten und Zehnten bestätigt erhält, spricht wiederholt von scripta authentica ecclesiae, wohl gleichbedeutend mit plenaria und breviaria, sowie von einem Gebot des Kaisers Karl, aber von keiner Urkunde[7]). Es war also keine vorhanden; erst der Verfasser der Actus fertigte eine solche nach dem Muster der Gesta. Auch 17. März 836 wurde noch keine geltend gemacht; Aldrich konnte keinen Beweis für seine Ansprüche auf das Marienkloster bringen und erhielt es von Ludwig als Schenkung (c. 12). Fünf Tage später erhielt er eine neue Urkunde, durch

---

[1]) Havet l. c. 54, 599 ff.
[2]) Acta Karoling. II 287 ff
[3]) c. 7. 15. 39.
[4]) c. 11. 38. 40. 41.
[5]) l. c. p. 305.
[6]) l. c. 622 ff.
[7]) Gesta c. 11. Ganz anders c. 15: »Ostendit nobis praeceptum...«
cf. oben.

welche ihm das bereits geschenkte Kloster restituiert wurde auf Grund von vielen alten Urkunden, die er inzwischen in seinem Archive gefunden hatte[1]). Dieselben stehen in den Actus c. 8. p. 249 ff. Von jetzt ab werden häufig zahlreiche gefälschte Schriftstücke erwähnt, die sämtlich in der Bistumsgeschichte enthalten sind[2]).

Die Frage, in welchem Verhältnis wohl Aldrich zu dem eifrigen Kanzlisten stand, der ihn stets neue Urkunden im Archive finden liess, wird sich schwerlich mit Bestimmtheit lösen lassen. Wenn er im Einverständnis mit demselben stand, dann ist jedenfalls sehr auffällig, dass er die beiden Urkunden des Domnolus in ihrer echten, aber wenig brauchbaren Form in die Gesta einreihen liess ohne die bedeutsamen Änderungen, welche der Verfasser der Bistumsgeschichte vornahm.

Das erste Additamentum der Gesta bis Kap. 53 ist sicher zu Lebzeiten Aldrichs geschrieben, aber nach dem Tode Ludwigs[3]). Der Eingang des Kapitels 47 citiert den genauen Titel der Bistumsgeschichte; ein langes Urkundenverzeichnis ist, geringfügige Änderungen ausgenommen, in derselben Form aufgenommen wie in den Actus (c 21); die wenn auch nicht ganz erfundenen, so doch ausgeschmückten Thatsachen, welche erzählt werden, beziehen sich insgesamt auf denselben Gegenstand wie fast die ganze Bistumsgeschichte, die Erwerbung des Klosters St Calais. Man muss wohl als sicher annehmen, dass sie auch demselben Verfasser angehören wie letztere[4]). Aber wann diese Stücke geschrieben und warum sie nicht mit den Actus vereinigt sind, lässt sich schwer beantworten. Es wird berichtet, der König Karl habe notgedrungen dem Abte Sigismund, der sich mit den Aufständischen verbündet hatte, den freien Besitz des Klosters überlassen, nach der Schlacht bei Fontenoy aber Aldrich dasselbe feierlich zurückgegeben; darauf folgen die Worte: ›Et sic falsitas subditur veritati, atque iniuste alienata iuste restituuntur; quae et hactenus a praefato Episcopo et a suae sedis Ecclesiae ministris legibus possidentur, et canonice atque regulariter gubernantur‹ (c. 53). 850 stellt Karl dem

---

[1]) c 14: ›detulit obtutibus maiestatis nostrae quaedam chartarum monimenta Regumque, decessorum videlicet nostrorum, auctoritates quasdam‹.

[2]) c. 38 (23. März 836). c. 40 (23. März 836). c. 41 (7. Sept. 838). c. 15 (20. Febr. 840).

[3]) Havet l. c. 54, 656.

[4]) Waitz l. c. p. 306.

Abte Reinald zwei Urkunden aus[1]), durch welche dem Kloster die schon von Kaiser Ludwig verliehene Immunität sowie das Recht der freien Abtwahl bestätigt wird. 855 führte derselbe Abt auf dem Koncile von Bonneuil[2]) Klage, dass von Le Mans aus ihm der freie Besitz des Klosters streitig gemacht werde, und erhielt neuerdings die Unabhängigkeit desselben bestätigt[2]). Trotzdem gelang es dem Bischof Robert, dem Nachfolger Aldrichs, den König sowie auch Papst Nikolaus für seine Sache zu gewinnen und die Abtei als beneficium zu bekommen. Aber in Pitres 862 und besonders in Verberie 863[3]) wurden die Ansprüche des Bistums endgültig zurückgewiesen, die Urkunden des Bischofs als gefälscht erklärt und vernichtet. Auf letzterem Koncil wurde ausdrücklich festgestellt, dass Aldrich das Kloster von Kaiser Ludwig nicht restituiert, sondern nur als beneficium geschenkt erhalten habe; auch habe er dasselbe nicht länger als zwei und ein halbes Jahr besessen. Mit keinem Worte erwähnt König Karl die in den Gesta erzählte Restitution von 841. Es besteht also hier ein völliger Widerspruch[4]). Karl kam nach der Schlacht bei Fontenoy durch den Gau von Le Mans. Es ist ja möglich, dass er Aldrich, seinem treuen Anhänger, das Kloster wenn auch nicht feierlich zurückgab, so doch versprach; dass er 863 sich dessen nicht mehr erinnert, wird weniger befremdlich, wenn man bedenkt, dass er 850 und 855 die Unabhängigkeit der Abtei bestätigte und trotzdem das Kloster an Bischof Robert als beneficium verlieh. Jedenfalls wird man leichter annehmen können, dass obige Worte: »quae hactenus . . . possidentur . . et gubernantur« vor 850 geschrieben wurden, in einer Zeit, wo der Zustand ein schwankender, die Streitfrage noch nicht gelöst war, als nach 850 oder gar nach 855; auf diese Zeit würde die Annahme Havets[5]) führen, nach welcher dies Stück nach Vollendung und Ausgabe der Bistumsgeschichte geschrieben wurde und darum ihr nicht mehr einverleibt werden konnte.

Über den Teil von Kap. 54 an lässt sich ebenso wenig Bestimmtes sagen, ausser dass cap. 57 kaum von demselben

[1]) Bouquet VIII 509, 510. Havet, Bibl. de l'Ecole des chartes Bd. 48 p. 232 ff.
[2]) Mansi XV 21.
[3]) Mansi XV 637. 670. Havet l. c. Bd 48, 235 ff.
[4]) Während Dümmler (l. c. I 167) die Notiz der Gesta nicht beanstandet, verwirft Havet dieselbe l. c. Bd 48 p. 14 n 3.
[5]) l. c. 54, 655. 682.

Verfasser wie cap. 53 herrühren kann[1]). Die zweite Schil-
derung würde eher auf die von Prudentius a. 841 erzählte
Verwüstung des Gaues Le Mans durch die Lotharischen
Scharen passen; die Gesta nennen allerdings bestimmt die
Grossen Heriveus und Wido: »Praescripti ergo tyranni de
genere Herivei et Widonis superiorum tyrannorum remanserunt«. Man könnte vermuten, dass diese Worte vor 844
geschrieben seien, in welchem Jahre ein Heriveus mit vielen
anderen auf einem Rachezug fiel[2]). Indessen lässt die Aus-
drucksweise »remanserunt« keinen sicheren Schluss zu.

Über die Abfassungszeit der Bistumsgeschichte ist so
viel zweifellos, dass sie nach den Gesta, d. h. nach 840, und
vor dem Tode Aldrichs (857) geschrieben ist. Eine genauere
Bestimmung wird möglich durch die Stelle cap. 20 pag. 291.
Der Verfasser erzählt, Bischof Josef habe aus Le Mans
weichen müssen und darum den Zins vom Kloster Calais
nicht einfordern können. Dann fügt er bei: »et idcirco suprascriptus census modo tali occasione et negligentia peracta
ad ecclesiam sanctae Mariae et sancti Gervasii non persol-
vitur. Sic tamen magnum instat periculum illis qui praefixum
censum persolvere et exigere neglexerunt vel negligunt . . .«
Diese Stelle ist offenbar in einer anderen Zeit geschrieben
als Kap. 53 der Gesta: »quae et hactenus a praefato Episcopo
et a suae sedis Ecclesiae ministris legibus possidentur et
canonice atque regulariter gubernantur«, d. h. nach 850 oder
855, als das Kloster für das Bistum verloren und zunächst
keine Aussicht auf Wiedergewinnung vorhanden war. Die
Abfassung der Bistumsgeschichte fällt mithin in die letzten
Lebensjahre Aldrichs. Der Autor ist ein Kleriker von Le
Mans, dem Kanzlei und Archiv wohl zugänglich waren.
Für den Besitz des Bistums und die Einkünfte des Bischofs
war er mehr als billig besorgt und hatte wohl persönliches
Interesse daran, indem er selbst Chorbischof[3]) war.

Diese langen Untersuchungen waren notwendig, um zunächst folgende Sätze, welche für die Beurteilung der Hy-

---

[1]) cf. Waitz l. c. 306
[2]) Dümmler l. c. II 247.
[3]) cf. Havet l. c. 54, 657 fl. Den Worten vom Schlusse des Kap. 53
der Gesta (s. ob.) »a suae sedis ecclesiae ministris . .« wird man allerdings kaum viel Bedeutung beimessen können. — Havet l. c. p 659. —
Auch sonst, z. B. im Kap. 20 der Actus, werden »ministri ecclesiae«
genannt, ohne dass man an einen Chorbischof denken kann: »quae omnia
(sc. die Abgaben det Klosters Calais) Jacob sacerdos sive alii ministri
et Canonici euisdem ecclesiae . . . recipiebant.«

pothese Simsons von Bedeutung sind, als sicher aufstellen
zu können: Die Bistumsgeschichte von Le Mans und die
Biographie Aldrichs sind getrennte Werke, welche nicht demselben Verfasser angehören. Letztere reichte ursprünglich
höchstens bis Kapitel 47 und wurde vor dem Tode Ludwigs
Vollendet und publiziert. Der Teil der Bistumsgeschichte
bis Aldrich gehört einem einzigen Verfasser an; es gibt
nur eine Redaktion derselben; die Vollendung und Ausgabe
erfolgte vor 857 und es besteht kein Hindernis, dieselbe nach
der Ausgabe der Dekretalen, d. h. nach 852 anzusetzen. Es
soll nun zuerst auf die stilistischen Eigentümlichkeiten, welche
diesen Schriftwerken mit den Dekretalen und Kapitalarien
gemein sind, eingegangen werden.

B. Die sprachlichen Argumente Simsons.

›Eine fortwährend wiederkehrende Wendung in den Act.
pont. Cenn. und den Gesta Aldrici lautet dahin: um Weit-
schweifigkeit zu vermeiden — oder, wie oft noch hinzugefügt
wird, um nicht Ermüdung, Ueberdruss und Eckel des Schreibers, Lesers oder Hörers hervorzurufen — unterlasse man
es gewisse Akten oder Namen einzuschalten; wolle jemand
diese genauer kennen lernen, so könne er sie da und da
finden‹[1]). In der That finden sich in obengenannten Werken
nicht wenige[2]) Wendungen wie: ›quae propter prolixitatem
et taedium scriptorum et auditorum non sunt inserta‹, ›quae
prolixa sunt scribere‹, ›quae prolixitatem vitantes non inseruimus‹. Zunächst muss aber betont werden, dass der-
gleichen rhetorische Phrasen sich häufig genug auch bei
anderen Autoren finden, natürlich bei solchen, denen ein
ähnlicher Stoff Veranlassung gibt. Simson selbst[3]) hat auf
mehrere hingewiesen, und ähnliche Beispiele lassen sich in
Menge citieren; nur einige mögen hier Platz finden.

Gesta Abbatum Fontanellensium, M. G. S. S. II. 270 sqq.
p. 271: ›Omissis . . . operibus quae in prolixioribus de eo
gestis olim memoriae mandata sunt, nunc brevi oratiuncula,
ne legentium fiant oculis onerosa, ea tantum . . huic operi
inserenda fore credidimus‹.

p. 272 c 3 ›viro, cuius nomen modo memoriae non
occurrit‹ cf. Act. und Gesta: ›quae in promptu non habentur‹.

---

[1]) Simson, Entstehung p. 58.
[2]) Simson l. c. p. 59 ff. citiert die einschlägigen Beispiele vollzählig.
[3]) l. c. p. 63.

p. 282: »sicut omnibus privilegia ac largitiones quae in scriniis nostri coenobii retinentur revolventibus in promptu est, quae nimis longum est narrare per singula«.

p. 285: »Aliud miraculum huic operi inserere commodum duxi«.

p. 287: »Codicum etiam copiam non minimam, quod dinumerare oneri esse videtur, sed aliquos ob memoriam illius inserere placuit«.

p. 288: »non necesse aestimo universa de eo inserere, ne legentibus nauseam fecisse videar«.

p. 293: »De cuius origine ... placet praesenti operi ea tantum inserere, quae lectoris animum non offendant«.

p. 294: »et alios plurimos, quorum nunc nomina non occurrunt memoriae«.

p. 299: »quae qualiter gesta sint, ne nauseam aut fastidium ingessisse videar, transcendenda omittam«. »Constitutionem commodum arbitratus sum huic operi inserere«. Annales Xantenses M. G. II p. 229a 849 und p. 230a. 862: »fastidiosum est enarrare«. Thegan, vita Hludovici M. G. II p. 591. p. 594: »talia et similia enumerare prolixum est«. Vita Hludovici M. G. II p. 608: »quorum qui vulgata sunt nomina dicere supersedi«.

Theodulf in einem Gedichte an Aurel No. VI in Mabill. l. c. p. 411:
»Verte camena gradum, nec taedia fratribus addas«. Odilbert in einem Antwortschreiben an Karl d. Gr. bei Mab. l. c. p. 77: »Haec nos non per prolixitatem verborum scribendi compendiose tentavimus, sed . . constringentes breviter perscripsimus«. Gregor von Tours schliesst seine Vita Aridii (Mab. l. c. p. 198 sqq.): »Quae omnia ex ordine onerosum duximus verbis prosequi . . . Quae vero si per singula ... nunc enodare curaverimus et modum paucissimi voluminis excedimus, et pro ipsa forsitan prolixitate fastidium legentibus ingerimus . . . nam libelli pagina singillatim non potest adnecti, ut ne infirmioribus fide fastidium praeparet, et dubitantibus sermo prolixior promulgetur. Haec igitur pauca de pluribus dixisse sufficiat«. Abt Lupus ep. 4 an Einhard (Baluze pag. 15): »Quae stringenda breviter est, ne forte plura dicens sim oneri«. ep. 17 (Bal. p 36): »quam literis comprehendere otiosum iudicavimus«. cf. auch ep. 123 (Baluze p. 178); ep 23 (Baluze p 47): »verum ne vos in longum ducamus«; ep. 97 (Baluze p. 145): »non sit vobis oneri, quod illaturus sum«. ep. 111 (Bal. p. 163): »si verbis explicare

conarer, non epistolae solum, verum etiam voluminis modum excederem« u. a. Vita S. Galli von Walafrid Strabo M. G. II.: p. 26: »ut fastidiosis lectoribus occasionem murmurandi tribuamus«. p. 31: »tanta miracula, ut ... vix a fastidiosis lectoribus sine taedio et rugata fronte percurri (sc. possint)«. Iso de miraculis S. Otmari M. G. II. p. 53: »ne fastidioso forte lectori protractus in longum sermo turbata mente rugam frontis ingereret«. Ratberti Casus S. Galli M. G. II. p. 61: »haec autem omnia quisquis plenius scire cupit ... in libris actuum eorundem sanctorum plenissime digesta reperiet«. p. 63: »in libris vitae ipsius qui scire desiderat, pleniter digesta reperiet«. p. 69: »Quisquis vult scrire ... legat in cartis supra memoratis et invenire poterit quod quaerit«.

Agobardi opp. om. ed. a Baluzio p. 4: »non vobis iniciant fastidium verba simplicia«. p. 97 c. 26 »haec breviter diximus ac de multis pauca libavimus«. p. 169 c. 4 »quorum omnium testimonia si ponere voluerimus, prolixi operis series ordinabitur«. p. 269 c. 2: »Quae cuncta nunc replicare nimis prolixum est«. p. 295 c. 24: »de quibus si ea, quae scripta sunt, studiosus aliquis in unum congregare voluisset aut valuisset, enormia volumina confecisset«. pag. 79 lib. II (Brief an Ebo): »Quia igitur si de omnibus divinis libris huius modi sententias excerpimus, nimis prolixum opus efficitur, illas nunc nobis assumere sufficiat quae in promptu habentur«.

Pseudo-Isidor hat aus seinen Quellen den Ausdruck übernommen: »Quod licet non prolixe sed succincte agere« (p. 172 c. 3. p. 525. 749).

Der Gebrauch ähnlicher Ausdrücke ist also ein derart häufiger, dass aus dem Vorkommen derselben gar kein Schluss gezogen werden kann. Auch das kann nicht befremden, dass solche in unseren Schriftstücken vielleicht häufiger als anderswo sich finden; durch die Masse der Fälschungen stehen dieselben einzig da in der Literatur und es ist darum natürlich, dass der Verfasser auf eine Fülle weiterer Materials hinweist, um einen Zweifel an der Echtheit des Gebotenen von vornherein abzuschneiden. Aber dieser Hinweis geschieht bei Pseudo-Isidor und den Schriftwerken von Le Mans gar nicht in gleicher Weise. Die diesbezüglichen Wendungen der Dekretalen: »ante dies quam exempla deficient« finden sich in jenen nie. Auch die von beiden gebrauchten Phrasen mit prolixitas und fastidium zeigen einen erheblichen Unterschied in der Zahl sowohl als in der Form. Pseudo-Isidor und Benedikt Levita bedienen sich derartiger

Formeln verhältnismässig lange nicht so oft als der Verfasser der Bistumsgeschichte, ferner in einer anderen Form. Letzterer gebraucht zweimal das Adjektiv prolixus und sonst propter prolixitatem, propter fastidium sive taedium; der Dekretalen- und Kapitularienfälscher vermeidet taedium und jener wendet immer eine verbale Wendung an: prolixitatem vitantes, non generet fastidium. Es liesse sich noch citieren (Ps. Is. 494 c. 21): »superfluam exercitationem et altercationem verborum propter satietatem et praesentis temporis incongruitatem declinantes ac praecaventes«. Es verdient eigens hervorgehoben zu werden[1]), dass Gesta und Actus in der Verbindung mit prolixitas und fastidium durchweg die Präposition propter haben, die Dekretalen und Kapitularien nie.

Auch dem Vorkommen der Form enucleatim statt enucleate in Verbindung mit Verben wie perscrutari ist nicht allzu viel Bedeutung beizumessen im Hinblick auf die von Simson citierten sonstigen Beispiele[2]). Im übrigen scheint das Wort nicht nur als Adverb, sondern auch in der verbalen und adjektivischen Form selten gebraucht von zeitgenössischen Autoren. Agob. I, 22 c 20 »habet lector de eadem re b. Hieronymi satis politam et enucleatam sententiam«. Vita Hludovici M. G. II p. 627 und 631 »enucleatissime«. Lupus (ep 34): »ut quaedam ex iis, quae studiose quaesiisti, enuclearem«. Die Form »enucleatim« findet sich auch in der Vita S. Galli (M G. II p. 12) »enucleatim cognitionem divinae legis carpebat«.

Der Gebrauch des Adverbs demum im Sinne von »dann, darauf«[3]) statt in der gewöhnlichen Bedeutung, in welcher es ungefähr unserem »erst« entspricht, ist keine specielle Eigentümlichkeit unserer Schriftwerke. Man vergleiche z. B. Agob. II p. 77 (Brief an Ebo): »suggestum est a me, ut in primis iuberes scribere . . . et his perspectis iuberes demum talia inserere«. Vita s. Bonifazi von Willibald (M. G. II p. 336 c. 7): »lectionisque divinae operam ingenti meditationis studio exhibuit ita ut maxima demum scripturarum eruditione imbutus . . . fulserit, ut etiam aliis demum paternarum exstitit paedagogus traditionum et auctor magisterii, qui et discipulus antea subiectorum esse non recusavit«. l. c. p. 335: »patri etiam demum . . .« p. 339 »gravi demum

---

[1]) Simson, Entstehung p. 63.
[2]) l. c. p. 68 f.
[3]) Simson, Entstehung p. 71.

— 53 —

mentis arreptus est moerore« ; p. 350 »tanta discordiae demum inimicitia incohata«. In all den genannten Beispielen ist demum ganz gleichbedeutend mit deinde ¿ cf. Vita S. Galli M. G. II. p. 18 »Vastatione demum per agros patrata . . .« Von geringer Beweiskraft ist das Wort schedula[1]). Man vergleiche z. B. Agob. opp. p. 2. 3. 11. 65; 66 Ratberti Casus S. Galli (M. G. II. p. 69 Zl. 33): »in aliqua scaeda conscriptum«, dann Lupus in ep. 5 an Einhard. Während es ein Lieblingswort des Schreibers von Le Mans ist, finden wir dasselbe in den Dekretalen nur einmal[2]); wie immer sucht ihr Verfasser mit den Ausdrücken zu wechseln und gebraucht tomus, liber, libellus, actus, literae, apex. (p. 83 c. 29. p. 160 c. 9. p. 161 c. 12. p. 491 c. 16). Eine Lieblingsphrase[3]) der Schriftwerke von Le Mans, »mater civitatis ecclesiae« für Kathedralkirche, ist Pseudo-Isidor unbekannt. Sonst gebraucht ist z. B von Lupus (ep. 98 und 99, Buluze p. 146 sqq.): »Clerus matris Ecclesiae Parisiorum«. cf. auch Adrevalds Erzählung von den Wundern des hl. Benedikt M. G. S. S. XV, p. 494 c. 33. »Supradicto praetextu« lesen wir in der Bistumsgeschichte häufig in der Bedeutung »aus genanntem Grunde«, besonders in den Einreihungsformeln der Urkunden, teils in der selteneren Bedeutung[4]) »auf gedachte Art und Weise«. Pseudo-Isidor gebraucht das Wort nur einmal und da in anderem Sinne. (p. 719 Zl. 15 v. u. sub. praetextu; die Stelle ist nicht sicher; denn p. 101 Zl. 4 v. ob. findet sich in derselben Stelle sub. praetaxato). Sein Lieblingsausdruck ist supradicto tenore.

Wie Simson schon hervorgehoben[5]), ist bei Benediktus Levita und besonders bei Pseudo-Isidor die Anknüpfung quanto magis oder multo magis ausserordentlich beliebt. Diese rhetorische Figur der Steigerung ist in den Dekretalen so häufig gebraucht, dass sie als eine stilistische Eigenheit derselben gelten muss. In der ganzen Bistumsgeschichte finden wir dagegen ein einziges Mal »multo magis« (cap. 8 Mab. p. 245). »Quanto magis« lesen wir einmal und zwar in der Stelle über die Chorbischöfe, wo dem Verfasser der Actus, wie unten gezeigt werden soll, die Dekretalen vorlagen; ausserdem in dem additamentum der Gesta, cap. 47,

---

[1]) Simson Entstehung p. 68.
[2]) Simson l. c. p. 68 A. 4.
[3]) Simson l. c. p. 72.
[4]) Simson Entst. p. 72.
[5]) l. c. 70.

4

nämlich in der »sententia de libro Pauli assumpta«, über
deren Echtheit und Abfassung nichts feststeht[1]), endlich in
der Dekretale Gregors IV. und der nachfolgenden Erörterung (multo magis), die aber nicht von dem Autor, der Bistumsgeschichte herrühren (s. u.). Letzterem liegt also obiger
Sprachgebrauch ganz ferne, so dass wir hier wieder eine
bedeutende stilistische Verschiedenheit zu verzeichnen haben.

Eine eigentümliche Bewandtnis hat es allerdings, mit
dem Worte praefixus in der Bedeutung »vorher erwähnt«[1]).
Es ist nicht zu verwundern, wenn man diesen Sprachgebrauch
bei solchen Schriftstellern vergeblich sucht, welche nicht die
Eigentümlichkeit der Gesta, Actus und der Dekretalen teilen,
zum Überdruss oft auf Gesagtes zu verweisen. Agobard z.
B. und Lupus wenden das Wort praefigere nur in seiner
eigentlichen Bedeutung an: Agob. opp. p. 287 lib. II »voluit
in hac re praefigere formam Ecclesiae suae«. Lupus ep. 66
(Baluze p. 110) »sane adventus nostri certum tempus praefigere non vales«. Ebenso in einem Briefe Theudoins (Mab.
l. c. p. 423 f.) »per divisas horas, tamen praefixas« und in
der Vita Bonifazi (M. G. II 348 Zl. 17): »praefixa mentis
immobilitate tenenda«. Adrevald in der schon genannten
Aufzählung der Wunderthaten des hl. Benedikt (M. G. XV,
I p. 496 c. 35) schreibt tempore praefixo = zu einer voraus
bestimmten Zeit. Bei der Stelle in c. 7 von der translatio
s. B. (M. G. XV, I 482): »pro foribus autem petrae scilicet
suprapositae praefixa erant notamina« ist praefigere ebenfalls
in der gewöhnlichen Bedeutung gebraucht. Das Wort be-
gegnet überhaupt selten, in der Bedeutung »vorher erwähnt«
aber findet es sich auch in solchen Schriftstücken nicht,
welche die gewöhnlichen Ausdrücke antefatus, praedictus
etc. verhältnismässig oft enthalten; so Willibald, Vita s
Bonifazi (M. G. II. 331 sqq.); Eigil, Vita s. Sturmi (M. G.
II. 365 sqq.); Paul Warnefrid, Liber de episcopis Metten-
sibus (M. G. II. 260 sqq.); die beiden Biographien Ludwigs
d. Fr. (M. G. II. 590, 607 sqq.); Walafrid Strabo, Vita s.
Otmari (M. G. II. 41 sqq.); Vita s. Galli (M. G. II. 5 sqq.);
Ratbert, Casus s. Galli; Altfrid, Vita Liudgeri (M. G. II.
403 sqq); Translatio s. Viti (M. G. II. 576 sqq); Prudentius
in seinen Annalen; Nithard, historiar. l. IV. u. a. Von besonderer Bedeutung sind hier die Gesta Abbatum Fontanel-

---

[1]) Simson in Syb. Ztschr. 1892 p. 200. Entstehung p. 70.
[1]) Simson, Entst. p. 65 ff.

lensium (M. G. II. 270 ff.) Sie sind 835 bis 840 geschrieben, behandeln einen ähnlichen Stoff ganz in gleicher Weise wie die Bistumsgeschichte von Le Mans, wahrscheinlich nach dem Muster des lib. pontif.; wie die obigen Citate beweisen; enthalten sie eine ganze Reihe ähnlicher Wendungen wie die Actus und teilen auch die Eigentümlichkeit, unnötig oft auf Gesagtes zu verweisen. Unter den mannigfaltigen Ausdrücken praefatus, antefatus, ut praelibavimus, praedictus, supradictus, saepedictus, suprascriptus, praenominatus, ut supra declaratum est, sicut supra annotatum est etc. finden wir auch das sonst nicht gerade gewöhnliche[1]) Wort »supra iam taxatus« (l. c. p. 277 Zl. 1. 294 Zl. 8. »ut supra taxavimus«, 288 Zl. 3), aber kein praefixus. Da diese Gesta viele ältere Quellen benützen, u. a. Fredegar und Beda, so darf man vielleicht schliessen, dass auch diesen der Sprachgebrauch fremd ist. In den beiden Schriftwerken von Le Mans nun, sowie in den falschen Dekretalen, seltener in den Kapitularien lesen wir das Wort ziemlich häufig. Man kann annehmen, dass die Verfasser alle ihnen zu Gebote stehenden Ausdrücke benützten und nur durch das Streben nach einiger Abwechslung auf dieses Wort geführt wurden. Indessen zeigt sich auch hier wieder ein bedeutender Unterschied zwischen den Schriftwerken von Le Mans und den Dekretalen. In diesen finden wir alle Ausdrücke der Actus angewendet, aber mit besonderer Vorliebe praelibare in der Form: »ut iam praelibatum est« oder »ut praelibavimus« (p. 21; 38 c. 25; 44 c. 21; 160 c. 7; 173 c. 3; 224 c. 2; 460 c. 7; 466 507 c. 20; 510; 512; 514; 563; 701; 709; 724; 724.) Die ganze Bistumsgeschichte enthält das Wort nur zweimal (c 7 p. 244 und c. 14 p. 275). Nicht selten gebraucht Pseudo-Isidor taxatus = praedictus, oder praetaxatus (p. 79 c. 24; 101 Zl. 4; 152 c. 3; 486 c. 9; 681; 681; 682; 695; 726), in der Bistumsgeschichte dagegen wie in der Biographie Aldrichs lesen wir das Wort n i e. Dieser Umstand ist doch bemerkenswert, auch wenn er für sich allein gegen die Identität der Verfasser nicht so ins Gewicht fällt als der Gebrauch von praefixus für dieselbe. Betrachtet man aber alle angeführten Unterschiede zusammen, so muss man es wohl, wenn nicht als absolut unmöglich, doch als in hohem Grade unwahrscheinlich bezeichnen, dass ein und derselbe Autor fast zur

---

[1]) Mab. l. c. 448 sq. Urkunde Ludwigs für das Kloster Campidona a. 839 »modo superius taxato.« Mansi XV, 670 Syn. von Verberie 863 »praetaxatus episcopus«.

4*

selben Zeit einen derart verschiedenen Stil geschrieben habe.
Was sprachlich für die Identität geltend gemacht werden
kann, ist eigentlich nur praefixus. Dass ein einziger Autor,
nach Simson der Verfasser der Bistumsgeschichte, der Biographie Aldrichs, der Dekretalen und Kapitularien, diesen
Sprachgebrauch für sich ausgebildet habe, ist wohl nicht
anzunehmen. Wollte man nach diesem Worte die gesamte
uns erhaltene vorpseudoisidorische[1]) Literatur durchstöbern,
so würde man ohne Zweifel vereinzelte Beispiele finden.
Da indessen undenkbar ist, dass der Verfasser der Papstbriefe — der Autor der Bistumsgeschichte hatte eine äusserst
geringe Literaturkenntnis (s. u.) — gerade durch diese gewiss seltenen Beispiele zu solch häufigem Gebrauche veranlasst wurde, so muss man den eigentümlichen Sprachgebrauch auf den Schulunterricht zurückführen.

C. Die sachlichen Argumente Simsons aus den Schriftwerken von Le Mans und der Dekretale Gregors IV.

Simson[2]) hat selbst schon auf einen Teil der sprach-
lichen Differenzen aufmerksam gemacht und keine befriedi-
gende Erklärung dafür gefunden. Er modifizierte[3]) darum
seine Ansicht nach derjenigen Döllingers: Pseudo-Isidor ist
in Le Mans entstanden; jedoch haben mehrere zusammen
so zu sagen fabrikmässig daran gearbeitet. Bischof Aldrich
soll der intellektuelle Urheber gewesen sein, seine Canonici
die Amanuenses, die nach seinen Weisungen arbeiteten. Diese
Ansicht stützt sich auf die gefundenen sachlichen Übereinstimmungen in der Stelle der Bistumsgeschichte[4]) gegen die
Chorbischöfe sowie auf die Dekretale Gregors IV. für Bischof
Aldrich.

Die folgende Beweisführung beruht auf einem allgemeinen Grundsatze. Pseudo-Isidor lässt seine Forderungen
von den ersten Päpsten aussprechen und will die Kirche
des neunten Jahrhunderts auf den von ihm fingierten Zustand
der früheren Jahrhunderte zurückführen. Man sollte also er-

---

[1]) Wasserschleben (Syb. Ztschr. 1890 p. 249) führt zwei Belege an
aus der Vita Geraldi, bei Baluze Misc. I. III unmittelbar auf die Gesta
Aldrici folgend. Die Vita gehört aber einer viel späteren Zeit an.
[2]) Entstehung p. 63.
[3]) Briegers Zeitschr. f. Kirchengesch. 12, 209. Syb. Ztschr. 1892 p. 209.
[4]) Mab. l. c. p. 288 sq. c. 17.

warten, dass er jede Gelegenheit benutzt, seine Fiktionen und Phantasien von der früheren Zeit als in Wirklichkeit bestehend hinzustellen, indem er entsprechende Thatsachen direkt erfindet, andere umgestaltet, solche aber, die mit seinen Dekretalen absolut unvereinbar sind, als Anlass benützt, auf seine Dekretalen und auf das Ungesetzliche jener Thatsachen hinzuweisen. Unmöglich aber wird er Thatsachen und Zustände fingieren, welche dem Dekretalenrechte widersprechen. Die Papstbriefe selbst enthalten keinen Erzählungsstoff und boten darum wenige Gelegenheit hiezu; nur ein charakteristisches Beispiel findet sich (H. p. 562). Ps Sixtus III. (432—440) schildert in seinem Briefe an die orientalischen Bischöfe die erlittenen Verfolgungen und fährt dann fort: »Quod audiens Valentinianus augustus nostra auctoritate synodum congregari iussit.« Er benutzt also die Gelegenheit darauf hinzuweisen, dass das Recht, Synoden zu berufen, ausschliesslich dem Papste gehöre. Um so mehr Anlass bietet die Bistumsgeschichte, und in der That finden wir hier eine unbestreitbare Bezugnahme auf ein Hauptthema Pseudo-Isidors, die Bekämpfung der Chorbischöfe.

Eine feindliche Richtung gegen das Institut der Chorbischöfe bestand ziemlich allgemein in der gallischen Kirche zur Zeit Pseudo-Isidors. Zwei Parteien hat man dabei aber strenge zu unterscheiden, wie wir, abgesehen von anderen Zeugnissen, deutlich aus einer Notiz Ados, Erzbischofs von Vienne, († 874), ersehen. Zur Erhebung Agobards, der zuvor Chorbischof) Leidrads war, auf den erzbischöflichen Stuhl von Lyon schreibt er nämlich in seiner Chronik (a. 810): Quod quidam defendere volentes dixerunt eundem venerabilem Agobardum a tribus Episcopis in sede Lugdunensi iubente Leidrado, fuisse ordinatum. Sed canonica auctoritas est in una civitate duos Episcopos non esse nec vivente Episcopo successorem sibi debere eligere.« Diejenigen, welche die Erhebung Agobards verteidigten, gehörten der gemässigten Partei an, welche nicht Beseitigung der Chorbischöfe wollte, sondern nur Einschränkung ihrer Befugnisse. Pseudo-Isidor ist ein Vertreter der radikalen Partei, welche die bedingungslose Vernichtung des Institutes erstrebte und ihm jede Existenzberechtigung absprach. Nach ihm ist unerlässliche kanonische Bedingung, dass die Ordination durch mindestens drei Bischöfe vollzogen werde und auf eine be-

---

¹) Weizsäcker, Chorepiskopat p. 14 A. 1.

stimmte grössere Stadt erfolge. Unter keiner Bedingung — dieser Punkt ist der entscheidende — darf in einer Stadt mehr als ein Bischof sein.[1] In den schärfsten Ausdrücken wird mit Ausstossung aus dem Klerikerstande gedroht, wenn einer bischöfliche Befugnisse auszuüben sich erkühne. Nur aus Barmherzigkeit möge man diejenigen, welche sieh fügten, als Presbyter dulden.

In der Bistumsgeschichte ist mehrfach von Chorbischöfen die Rede. So heisst es im Eingang von cap. tj (Mab. l. c. 251) von Domnolus: »Domnolus . . . profectus est Romam . . . inde remeans usque ad Cenomannicam civitatem i pervenit. Ipsa ergo civitate et populo ipsius parrochiae indigente Pontifice . . praedictum domnum Domnolum iam Pontificem ordinatum gratulanter in pontificatus ordinem Domino inspirante susceperunt . . . Qui et hoc invitus et a clero vel populo coactus licet nolens humiliter tamen suscepit officium « Es handelt sich hier nicht um einen Chorbischof in dem gewöhnlichen Sinne, sondern um einen absolute ordinierten Wanderbischof. Der Verfasser der Bistumsgeschichte findet an seiner Erhebung zum Bischof von Le Mans nichts Unkanonisches und nimmt an dieser Stelle keinen Bezug auf die Dekretalen, welche derartige absolute Ordinationen strikte verbieten. Cap. 14 (Mab. l. c. 276) lesen wir: »Petrus Cenomannicae partis parochiae temporibus Theodorici Regis Chorepiscopus et adiutor domni Aigliberti fuit. Ipse enim domnus Aiglibertus Archicapellanus et princeps Episcoporum regni erat. Ideo ei concessum erat, ut haberet adiutorem sibi et Chorepiscopum, ut quando ipse

---

[1] Ps. Anaklet bei Hinschius p. 75 c. 18; 82 c. 28 Ps. Euseb. p. 242 c. 21. Concil. Hispal. II can 7. H. p. 438. Ps Leo p. 628 sq. Ps. Joh. 715 sqq. Ps. Clemens p 39 c. 29; »in singulis vero reliquis civitatibus singulos et non binos vel ternos aut plures episcopos constitui praecepit . . . . Hoc tamen providendum instituit, ne in villis aut in castellis vel modicis civitatibus iustituerentur episcopi, [ne vile eorum nomen fieret « Am schärfsten spricht Ps. Damas. (H. p. 509 sqq.): »cum omnibus suis fundamentis et actionibus atque radicibus ut evellatur necesse est.« p. 515: »Tria obstant quibus eorum cassatur actio vel institutio.

Unum, quod ab uno episcopo ordinari solent, in quo eorum ordinatio a canonibus discordat, qui per manus episcoporum eos institui iubent.

Aliud si a pluribus episcopis sunt ordinati et aut in villa ant castello seu in modica civitate aut omnino non in eo loco prefixi, quo iuste episcopi fieri debent aut dudum non fuerunt ubi non vilescat auctoritas et nomen episcopi, aut si in civitate cum altero, cum ut praedictum est, in una civitate duo non debeant con istere episcopi.

Tertium si absolute fuerint instituti, sicut de quibusdam audivimus, quae omnia episcopali omnino carent auctoritate.«

praeoccupatus in servitio regali erat, praedictus Chorepiscopus ei adiutorium procuraret aliquod, non id faciendo tamen,
quod ei licitum non erat, propter summam episcopalis mi-
nisterii, sed quantum a praedicto ei domno Aigliberto licite
et canonice concedebatur.« Hier ist schon das Streben des
Verfassers zu erkennen, den Aiglibert zu rechtfertigen, weil
er einen Chorbischof hatte: Es bestand ein genügender
Grund, einen Chorbischof zu halten, und dieser übte nicht
mehr Befugnisse aus, als ihm vom Bischof zugestanden
wurden. Die unbedingte Forderung Pseudo-Isidors, dass
in einer Stadt nur ein einziger Bischof sein dürfe, ist nicht
beachtet, ebenso wie cap. 19 (Mab. l. c 290). Merolus war
Chorbischof unter Hodingus; als dieser das beraubte Bistum
verliess und an den kaiserlichen Hof zurückkehrte, eilte Merolus zum Erzkaplan Angilram, um sich Rat zu erbitten.
»Domnus itaque Angilramnus sciscitans de sua ordinatione,
reperit eum a tribus esse ordinatum Episcopis, et propterea
canonice posset adimplere episcopale ministerium. Gloriosus
igitur Carolus Rex Francorum nullum inveniebat, cui ipsum
Episcopatum ita desolatum dare aut commendare potuisset,
coepit consilium, ut praedicto Merolo, licet Chorepiscopo,
a tribus tamen Episcopis supradicta conditione ordinato,
ipsum Episcopatum daret.« Es wird hauptsächlich darauf Gewicht gelegt, dass die Ordination von drei Bischöfen vollzogen war. Bischof Gauziolen) hatte auf Befehl Pipins den
Seufred zu seinem Chorbischof ordiniert, dann den Desideratus und Berthodus. Als er aber unter Karls Regierung
wiederum einen Chorbischof erbittet, da werden Schwierigkeiten gemacht. Eine neue Weisheit war eingezogen, auf
Befehl Karls versammelten sich die sapientes et doctores
und bestimmen, dass nur derjenige bischöfliche Funktionen
verrichten dürfe, welcher von drei Bischöfen ordiniert sei.
Dies geschieht, und damit auch die letzte Schwierigkeit be-
seitigt werde, bittet Gauziolen den König, »ut supradicta
conditione ad titulum ecclesiae s. Petri, quae est constructa
in Salico vico canonico, praedictus sacerdos Merolus Chorepiscopus sacraretur, ut ministerium episcopale facere et
exercere canonice atque perficere posset.« Nun sind allerdings nicht in derselben Stadt zwei Bischöfe, aber es ent-
steht ein neuer Widerspruch mit den Dekretalen, welche ja
die Einsetzung eines Bischofs in villae, castella und modicae

---

[1]) Mab. 1 c. p. 288 sq. c. 17.

civitates ausdrücklich verbieten. An dieser Stelle nimmt der Verfasser der Bistumsgeschichte nicht bloss Bezug auf die Dekretalen, vor allem auf den Damasusbrief, dann auf can. 7 vom concil. Hispal. II, sondern entlehmt den Text fast wörtlich[1]). Weizsäcker hat in Betreff dieser Stelle geschrieben: »Der Verfasser der Acta muss in einer Zeit geschrieben haben und unter Verhältnissen, wo er meinte, die Kirche von Le Mans darüber rechtfertigen zu müssen, dass sie unter Gauziolen mehrere Chorbischöfe als dessen Gehilfen in seiner Blindheit hatte, also in einer Zeit, wo die pseudo-isidorischen Grundsätze über dieses Institut schon allgemein oder doch von dem Verfasser selbst anerkannt waren«. Mit Recht macht er darauf aufmerksam, in wie hohem Grade erkünstelt und absichtlich die Worte lauten, mit denen das Auftreten einer neuen Gesetzgebung unter Karl, d. h. also jene von Benedikt Levita fingierte Regensburger Synode i. J. 804, welche das chorbischöfliche Amt vollständig abge-schafft haben sollte[2]), zu erklären versucht wird. Diese Auf-fassung hat nichts Unmögliches: Schon in Paris 829, beson-ders aber in Meaux 845 wurden scharfe Bestimmungen gegen die Chorbischöfe erlassen; durch die Verwerfung der be-treffenden Artikel, welche letztere Synode gefasst hatte, von Seite der Barone entgingen die Chorbischöfe noch einmal der Gefahr. Auf der Synode von Paris 849[3]) wurden meh-rere abgesetzt. In derselben Zeit oder bald darauf erschienen die falschen Kapitularien und Dekretalen, welche beding-ungslose Vernichtung des Institutes anstrebten. Der Ver-fasser der Bistumsgeschichte wird aber kaum aus blossem Interesse für die Vergangenheit so angelegentlich gestrebt haben, zu zeigen, dass unter gewissen Umständen und Be-dingungen Chorbischöfe zu halten erlaubt sei. Er fühlte sich in seiner eigenen Stellung bedroht, denn er war selbst Chorbischof[4]). Der Auffassung Weizsäckers steht die von Simson[5]) schroff gegenüber: In obiger Stelle sind nicht die

---

[1]) Weizsäcker, Chorepiskopat p. 12 ff. Simson, Entstehung p. 8 ff.
[2]) Weizsäcker, Chorepiskopat p. 8 ff.
[3]) Mansi XIV 928. Weizsäcker l. c. p. 26.
[4]) Havet l. c. 54, 657 ff. Havet, zuerst ein unbedingter Anhänger der Hypothese Simsons, (cf. Biblioth. de l'Ecole des chartes Bd. 48 p. 11 f.) verwirft jetzt mit grosser Bestimmtheit dieselbe, nachdem er durch seine Untersuchungen über die Actus zu einer genauen Prüfung obiger Stelle veranlasst worden war. l. c. Bd. 54, 663: »Voilà de quoi écarter définitivement l'hypothèse – si plausible à d'autres points de vue«.
[5]) Simson, Entstehung p. 14.

Dekretalen benutzt, sondern dasselbe Material ist verarbeitet, d. h. Pseudo-Isidor oder ein Mitglied der pseudo-isidorischen Fälschergruppe hat die Bistumsgeschichte verfasst.

Diese Annahme bietet nicht geringe Schwierigkeiten. Während die Dekretalen bedingungslose Beseitigung des chorbischöflichen Institutes wollen, werden in der Bistumsgeschichte jene Fälle der früheren Zeit, wo Le Mans Chor- bischöfe hatte, nicht etwa einfach als unkanonisch bezeich- net, sondern verteidigt. Der Verfasser will, soweit dies überhaupt möglich ist, an manchen Stellen Thatsachen der Vergangenheit in Einklang bringen mit den Forderungen der Dekretalen; um eine geeignete Gelegenheit zur Vertei- digung mehr zu erhalten, lässt er sogar den Aiglibert einen Chorbischof haben in einer Zeit, wo man im Abendlande den Chorepiskopat noch gar nicht kannte[1]). Das Bedenk- liche an der Ansicht, dass ein und derselbe Verfasser gleich- zeitig so verschiedene Anschauungen vertreten habe, wird nicht gemindert durch den Hinweis auf die Kapitularien. Benedikt nimmt allerdings die Bestimmungen des Wormser Konzils auf, wonach die Befugnisse der Chorbischöfe nur eingeschränkt werden; es sind aber doch jene Stellen weit- aus überwiegend, in denen er entschieden dieselben ver- nichtenden Festsetzungen bringt wie die Dekretalen. So viel aber wird man wohl als zweifellos behaupten können: Wenn Pseudo-Isidor oder ein Mitglied der Gruppe in der Frage der Chorbischöfe in so auffälliger Weise auf die Dekretalen Bezug genommen hat, dann wird er dies sicher auch in an- deren Punkten gethan haben, wo sich Gelegenheit bot. Eine bestimmte Antwort ist darum erst möglich nach Lösung der Frage, welche Stellung der Verfasser der Bistumsgeschichte sonst zu den Dekretalen einnimmt.

Schon dies ist beachtenswert, dass in den Actus gar nicht von päpstlichen Dekretalen gesprochen wird, sondern stets nur allgemein von der canonica auctoritas und von decreta canonum. Ein einziges Mal werden »priorum sanc- torum Patrum instituta« sowie »Legati apostolici« erwähnt und merkwürdig ist dies dieselbe Stelle (c. 17 Mab. p. 288) über die Chorbischöfe, in welcher der Verfasser sich gegen die pseudo-isidorischen Dekretalen zu verteidigen sucht.

Wie oben schon ausgeführt wurde, fordert Pseudo-Isidor entschieden, wenn auch mit einer gewissen Zurückhaltung,

---

[1]) Havet l. c. 54, 665.

Freiheit der Bischofswahlen. Bezüglich der Ordination eines
Bischofs aber bestimmt er wiederholt ausdrücklich, dass alle
Bischöfe derselben Provinz, falls sie nicht persönlich bei der
Weihe zugegen sein können, schriftlich ihre Zustimmung
geben müssen. Man vergleiche besonders Ps. Joh. III. (H.
p. 717): »Episcopum convenit maxime quidem ab ómnibus
qui sunt in provintia episcopis ordinari. Si autem difficile
fuerit aut propter instantem necessitatem aut propter itineris
longitúdinem, a tribus tamén omnimodis in idipsum conve-
nientibus et absentibus quoque pari modo decernentibus' et
per scripta consentientibus tunc ordinatio celebretur, firmitás
autem eorum quae geruntur per unamquamque provintiam
metropolitano tribuatur episcopo«. In der Bistumsgeschichte
von Le Mans finden wir eine ganze Reihe von Beispielen,
dass nicht nur bei der Wahl, sondern auch bei der Ordination eines Bischofs des Metropoliten kaum gedacht, der
Komprovinzialbischöfe aber nicht einmal Erwähnung gethan
wird, geschweige denn, dass ihre Zustimmung eingeholt
wird. Dagegen erscheint dem Autor als etwas Wesent-
liches »iussio atque consensus imperatoris«. Dazu gehören
vor allem die angeführten Stellen betreffs der Chorbischöfe.
Der Graf Rotgarius und sein Sohn Chariveus (Mab. p. 285
c. 16) wollten einem ungebildeten, ihnen ergebenen Kleriker
den Bischofsitz von Le Maus verschaffen, schickten aber
denselben nicht zum zuständigen Metropoliten von Tours
zur Ordination, sondern zum Bischofe von Rouen. »Ideo
hoc faciebant, quia sciebant Turonensem Metropolitanum
talem clericum contra iura ecclesiastica et contra decreta
canonum non debere ordinare, nec etiam contra voluntatem et potestatem regalem talia facere«. Wie auch
aus den folgenden Beispielen ersichtlich ist, besteht ein
Hauptgrund für den Verfasser, warum er diese Ordination
als unkanonisch bezeichnet, darin, dass dieselbe ohne den
Willen des Königs vollzogen wurde Der Komprovinzialbischöfe wird an dieser Stelle nicht gedacht, doch wird
wenigstens die Einwilligung und Mitwirkung des zuständigen
Metropoliten als notwendig bezeichnet. Bei dem folgenden
Beispiel geschieht auch dieser keine Erwähnung, der König
allein bestimmt nach freiem Ermessen: (Mab 288) »Transactis
quibusdam annis ... intellexit Pipinus quod antedicti tyranni
Rothgarius et Charivius absque sua iussione vel suo
consensu, et non canonice sed tyrannice Episcopum insti-
tuerint; praecepit in Colonia metropo li civitate (? also nicht

einmal in derselben Provinz, sondern in einem anderen Sprengel.[1]) quemdam clericum et sacerdotem suum, Herlemundum nomine, . . . Episcopum ad saepe dictam civitatem Cenomannicam titulari et ordinare«. Vom König geschützt behauptete Herlemund auch eine Zeit lang das Bistum gegen seinen Nebenbuhler Gauziolen. Eines Tages aber wurde er von letzterem zu einem Gastmahle eingeladen und geblendet. Zur Strafe wurde auch Gauziolen auf Befehl des Königs geblendet, das Bistum aber wollte der König ihm nicht mehr nehmen, sondern befahl ihm, einen Chorbischof zu ordinieren. Durch die Blendung Herlemunds hatte doch Gauziolen ein degradationswürdiges Verbrechen begangen; aber mit keinem Worte berichtet der Erzähler von einem processualischen Vorgehen gegen ihn auf der Provinzialsynode. Der König, heisst es, wollte ihm das Bistum nicht nehmen; der unglückliche Herlemund aber lebte fortan bei seinem Bruder, dem Abte des Klosters Duasgemellis. Das Bistum, aus dem er hatte weichen müssen, erlangte er nie wieder, weder der König noch die Provinzialsynode traten für ihn ein. Die Dekretalen, mit deren Bestimmungen über Ordinationen und Absetzungen von Bischöfen die erzählten Vorgänge im denkbar schroffsten Widerspruche stehen, werden gar nicht erwähnt.

Nach dem Tode des ersten Chorbischofs ordinierte Gauziolen zwei andere, zuerst den Desideratus und dann den Berthodus. Nach dem Tode des letzteren wendet er sich an König Karl und bittet um den Befehl, einen neuen Chorbischof zu weihen: »ut praeciperet ei Chorepiscopum ordinare«. Der König ist es, der überall das entscheidende Wort spricht; er beruft eine Versammlung von Gelehrten und Bischöfen, welche zusammen mit apostolischen Legaten festsetzen, auch der Chorbischof müsse von drei Bischöfen ordiniert werden. Der Chorbischof Merolus, der nun auf Befehl des Königs und seiner Synode auf diese Weise ordiniert wurde, überlebte den Gauziolen. Als dessen Nachfolger wird Hodingus, ein Hofkleriker, auf Befehl Karls als Bischof ordiniert und in Le Mans eingesetzt. Da aber unter Gauziolen der grösste Teil der Güter an den Fiskus gekommen war, verliess Hodingus schon nach zwei Jahren Le Mans und kehrte an den Hof Karls zurück. Er bat den König, entweder die säkularisierten Güter der Kirche zu restituieren oder ihm eine andere Stelle zu geben. Darauf erhielt er von Karl ein anderes Bistum. »Domnus igitur Carolus supradicto Hodingo alterum Episcopatum, cuius vocabulum est Belviacus, tribuit et ibi eum Episcopum esse constituit«. Abgesehen von dem eigenmächtigen Vorgehen des Königs ist diese Translation selbst im Widerspruche mit Pseudo-Isidor. Denn bezüglich einer Translation erleichtern zwar die Dekretalen[1]) die strengen Bedingungen des alten Kirchenrechtes, ausdrücklich aber bestimmt Ps. Pelagius II (H. p. 726): Quapropter scias aliud esse causam necessitatis et utilitatis et aliud causam presumptionis et propriae voluntatis«. Er warnt ganz besonders davor, aus Bequemlichkeit oder Habgier nach einem anderen Bistum zu streben Gerade dies ist aber bei Hodingus der Fall; er will nicht nach Le Mans zurückkehren, weil dasselbe verarmt ist: »quoniam illuc desolatus et ad talem ac tantam desolationem remeare nolebat«. Als Hodingus seinen Bischofsitz treulos im Stiche gelassen, wendete sich der Chorbischof Merolus nicht etwa an seinen Metropoliten, sondern an den königlichen Hof. Der Erzkaplan prüft seine Ordination und findet, dass dieselbe kanonisch von drei Bischöfen vollzogen sei. Da der König keinen anderen Kandidaten hat, erhält Merolus das Bistum, von dem er ohne weiteres Besitz nimmt, da er ja bereits kanonisch als Bischof geweiht ist.

Ein weiterer Punkt, in dem wir in der Bistumsgeschichte eine von den Dekretalen nicht unerheblich verschiedene Auffassung finden, ist die Pflicht der Restitution von Kirchengut. Merolus erlangte von Karl, als derselbe gelegentlich in den Gau von Le Mans kam, eine Verfügung, durch welche die Kirche nur zum Teil entschädigt wurde. Unter seinem zweiten Nachfolger Franko kam Karl wiederum nach Le Mans (Mab. l. c. p. 291 c. 21). Er sah die Kirchen zerfallen und verödet; auf seine Frage nach der Ursache wurde ihm geantwortet, die Kirchengüter seien noch nicht zurückgegeben. Traurig begann er nun mit den Seinen zu beraten, wie er das begangene Unrecht wieder gut machen könne. »Cum autem vidissent eum sui consiliarii ita tristantem atque angentem, dederunt ei consilium ut se laetificaret, et ob id non contristaretur: sed redderet de rebus ipsius ecclesiae a se ablatis quantum ei placeret; et sequentibus temporibus, quod tunc non faceret, plenius redderet, usque ad suam satisfactionem perveniret«. So schreibt der Verfasser der Bistumsgeschichte; Pseudo-Isidor aber führt eine ganz andere Sprache. Um die Unmöglichkeit zu zeigen, dass er den königlichen

---

[1]) Ps. Evarist p. 90 c. 4. 7. 8. Ps. Calixt 139 c. 14. 15. Ps. Anterus 152 c. 2—4.

Räten so milde Worte in den Mund gelegt hätte, genügt es; von den vielen Stellen[1]) der Dekretalen gegen den Raub der Kirchengüter eine anzuführen (Ps. Symmachus p. 682): »Generaliter vero quicunque res ecclesiae confiscare aut conpetere aut pervadere periculosa aut sua infestatione presumpserit, nisi se citissime per ecclesiae de qua agitur satisfactionem correxerit, perpetuo anathemate feriatur. Similiter et hi qui res ecclesiae iussu vel largitione principum vel quorundam potentum aut quadam invasione aut tyrannica potestate retinuerint et filiis vel heredibus suis, ut a quibusdam iam factum audivimus, quasi hereditarias reliquerint, nisi cito res dei ammoniti a pontifice agnita veritate reddiderint, perpetuo anathemate feriantur«.

Wie schon erwähnt, steht das Vorgehen Pipins gegen Gauziolen und Herlemund in direktem Widerspruch mit den pseudo-isidorischen Dekretalen, deren dabei in keiner Weise Erwähnung geschieht. Es ist dies aber nicht das einzige Beispiel. In einer gefälschten Urkunde der Bistumsgeschichte (Mab. 293 ff. c. 21) findet sich folgende Stelle: »Insuper et illud in hoc praecepto inserere iussimus, ut nullus Judex, aut Comes, aut aliquis liber homo, aut quaelibet persona, praedictae ecclesiae ministros, vel Advocatos in mallo publico acousare praesumat, sed prius conveniat ministros rerum, et Judices villarum atque hominum a quibus laesus est, ut ab eis familiarem et iustam accipiat iustitiam: quam si accipere non valuerit, tunc conveniat Episcopum iam dictae Ecclesiae, ut ab ipso suam iustitiam familiarem et bonam atque iustam accipiat. Et si ab ipso Episcopo neque a suis ministris suam iustitiam accipere nequiverit; postmodum licentiam habeat ut in malo publico suas querelas iuste et rationabiliter atque legaliter quaerat. Sed si antea quam predicta fecerit, iam dictae sedis ecclesiae Episcopum et suos ministros vel Advocatos accusare aut pulsare presumpserit; quia nostram iussionem atque nostrum indictum et praeceptum contempsit, sive prevaricavit, bannum nostrum ex hoc nobis componat, et praedictae ecclesiae Episcopo vel suis ministris C sol. argenti componat et suam iustitiam postmodum absque lege, aut aliqua compositione recipiat.« Simson[1]) fand hier »eine gewisse, obschon nur entfernte Aehnlichkeit mit einigen

---

[1]) Ps. Anaklet p. 73 c. 14. Ps. Pius 118 c. 8. 9. Ps. Urban 144 2—6. Ps. Lucius 178 c. 7 etc.
[2]) Simson Entstehung p. 89 f.

Bestimmungen der pseudoisidorischen Fälschungen», wogegen Wasserschleben[1]) bemerkt, er »habe wohl nicht nötig, den Beweis zu führen, dass diese Besimmungen in einem diametralen Gegensatze zu dem charakteristischen Bestreben Pseudoisidors stehen, die Bischöfe und überhaupt die Geistlichkeit von der weltlichen Jurisdiktion zu befreien und sie ausschliesslich der geistlichen Gerichtsbarkeit zu unterwerfen». Simson sucht diese Behauptung Wasserschlebens zu widerlegen[2]). Es sei in dem unklar gefassten Tenor der Urkunden nicht einmal mit vollkommener Deutlichkeit gesagt, dass es nach dem Scheitern des Güteverfahrens gestattet sein soll den Bischof selbst vor dem weltlichen Gerichte zu verklagen. Indessen scheint nach dem etwas ausführlicheren Text derselben Urkunde, wie dieselbe in den Gesta Aldrici steht (c. 15 Baluze p. 42), ein ernstlicher Zweifel nicht zu bestehen: »Sed si antequam fecerit illud (d. h. bevor er das genannte Güteverfahren angestellt hat), iam dictae sedis Ecclesiae Episcopum et suos ministros et advocatos in mallo et cuiusdam conditionis publico placito accusare aut pulsare presumpserit. Die Hauptsache aber ist nach Simson, dass es sich hier offenbar gar nicht, wie bei Pseudoisidor, um Verurteilung und Absetzung von Bischöfen handle, sondern um etwas ganz anderes, nämlich um Besitzstreitigkeiten zwischen Laien und Kirchen. Allerdings hat Pseudo-Isidor bei einem grossen Teile seiner Bestimmungen zunächst Kriminalklagen im Auge, welche auf Absetzung der Bischöfe abzielen. Aber sein Streben, den Klerus von der weltlichen Jurisdiktionsgewalt unabhängig zu machen, erstreckt sich auch auf Civilklagen. Er möchte sogar die Rechtshändel von Laien vor dem geistlichen Gericht entschieden wissen. Man lese z. B. Ps. Anaklet (H. p. 73 c. 15. 16): »quicunque causam habuerit apud suos iudices iudicetur et non ad alienos causa vagandi stimulante protervia suam despiciens patriam transeat: sed ad duodecim eiusdem provintiae iudices, ad quorum iudicium omnes causae civitatum referuntur, deferatur negotium. Si autem fuerit ecclesiasticum apud episcopos, interveniente primate, siquidem maior causa fuerit; si vero minor, metropolitano; si vero fuerit seculare, apud eiusdem ordinis viros iudicio tamen episcoporum, cum apostolus privatorum

---

[1]) Wasserschleben in v. Sybels hist. Ztschr. 1892 p. 243.
[2]) Simson in v. Sybels hist. Zeitschr. 1892 p. 201 f.

christianorum causas magis ad ecclesias deferri
et ibidem sacerdotali iudicio terminari voluit»
oder Ps. Alexander (H. p. 98 c. 8): »si quis erga episcopum
vel actores ecclesiae quamlibet querelam iustam habere cre-
diderit, non prius primates superiores aut alios iudices
quam ipsos a quibus se laesum aestimat, conveniat familiariter,
non semel, sed saepissime, ut ab eis aut suam iustitiam aut
iustam accipiat excusationem». Dass aber mit den Worten
»alios adeat iudices» nur der Metropolit oder die Provinzialsynode, sicher nicht das weltliche Gericht gemeint sein kann,
erhellt aus Ps Felix II. (p. 485 c. 12): »Ut nemo episcopum
penes seculares arbitros accuset, sed apud summos primates.
Si quis adversus episcopum causam habuerit, non prius alios
episcopos adeat ut eum accuset, quam familiariter ei suam
indicet querellam et 'ab eo aut iustam emendationem aut
rationabilem percipiat excusationem ... Si quis episcopum
post haec elegerit accusare, summis primatibus episcoporum suam indicet causam et non secularibus.
... Man vergleiche noch Ps. Alexander (H. p. 95 c. 4), Ps.
Gajus p. 214 c. 3., Ps. Felix II. p. 480 c. 3., Ps. Pelag. II.
p. 724 Ganz charakteristisch ist eine Interpolation[1]) des Kan.
32. des Koncils von Agde (H. p. 334), wo Pseudo-Isidor durch
Einfügung eines «non» den Sinn geradezu ins Gegenteil
verkehrt und so jedem Kleriker verbietet, nicht nur selbst
je eine Klage vor den weltlichen Richter zu bringen, sondern
auch Antwort zu geben, falls er vor demselben angeklagt
sei. Nur mit Erlaubnis seines geistlichen Oberen kann ein
einfacher Kleriker gegen einen Laien als Kläger vor dem
weltlichen Richter auftreten (Ps. Marcellin 221 c. 3)

Mit seiner Forderung der unbedingten Emancipation des
Klerus von der weltlichen Jurisdiktionsgewalt in jeder Be-
ziehung stand Pseudo-Isidor keineswegs allein da in seiner
Zeit. Bereits Florus hatte den Satz verfochten[2]) und kaum zwei
Jahrzehnte nach dem Erscheinen der Dekretalen wurde der
Satz praktisch geltend gemacht. Der jüngere Hinkmar sollte
in einer Besitzstreitigkeitsfrage vor dem Hofgericht er-
scheinen[3]), erklärte aber, die kanonischen Satzungen verböten

---

[1]) cf. Maassen, Sitzungsberichte Bd. 108 p. 1078. 1100. Bd. 109. p.
860. Nachtrag II.
[2]) Gedicht an Modoin, M. G. Poet. Lat. II. 553. sqq. cf. Maassen »Ein
Kommentar des Florus von Lyon zu einigen sogen. Sirmond'schen Kon-
stitutionen», Sitzungsberichte 1879 Bd. 92 p. 303 ff.
[3]) Schrörs l. c. 295 ff.

ihm, auch nur einen Vogt als Stellvertreter zu schicken.
Ein Geistlicher dürfe sich nie einem weltlichen Forum unterwerfen. Zu seiner Verteidigung schrieb der ältere Hinkmar
ein eigenes juristisches Gutachten.

In unserer Urkunde handelt es sich aber nicht etwa um
eine rein dingliche Klage, sondern um eine Rechtsverletzung,
wie die Worte zeigen: «a quibus laesus est.» Da es nun
nicht darauf ankommt, ob der Inhalt derselben «klerikal»
sei oder nicht, sondern nur darauf, ob er den pseudo-isidorischen Tendenzen entspreche, so muss das Urteil Wasserschlebens aufrecht erhalten werden. Der direkte Widerspruch dieser Stelle mit den Dekretalen ist aber von entscheidender Bedeutung für die ganze Frage, weil es sich
hier um eine Fälschung, um eine pure Fiktion des Verfassers
der Bistumsgeschichte handelt. Vergleichen lässt sich mit
dieser Stelle eine Notiz in einer anderen Urkunde (c. 12
Mab. p. 265.), wo es ebenfalls von einem Kleriker heisst:
«ad Clotarium Regem accusatus et adductus.»

Auch von einer Kriminalklage gegen einen Bischof, auf
welche thatsächlich Absetzung folgte, finden wir in den
Actus eine ausführliche Erzählung (c. 20 Mab. l. c. p. 290.).

Der Bischof Josef geriet nach seiner Erhebung in Streit
mit seinem Klerus. «Quaedam seditio inter illum et suos
sacerdotes vel clericos est orta, qui et praedictum Joseph
Episcopum penes Regem domnum Carolum accusantes,
convincere eum secundum canonicam auctoritatem non po-
tuerunt.» Der Bischof beging dann gegen die klägerischen
Geistlichen einen Akt ungemeiner Roheit (praecepit . . .
flagellare atque . . quosdam caecare et castrare). Vor den
König citiert, erschien er zwar, leugnete aber, ebenso vor
der bischöflichen Synode. Da er aber doch seine Verurteilung voraussah — adpropinquante autem termino contume-
liae suae a regali exercitu et a synodali conventu — entfloh
er, als Laie gekleidet und bewaffnet, wurde aber ergriffen
und vor den König geführt. Sodann wurde er von den Bischöfen degradiert und von seinem Metropoliten in Haft
gehalten bis zu seinem Tode. Der Verfasser der Bistumsgeschichte erzählt diesen Vorfall, ohne mit einem Worte zu
erkennen zu geben, dass er in demselben den geringsten
Verstoss gegen das kanonische Recht finde. Thatsächlich
stimmt der Bericht in seinen Einzelheiten derart mit den
Ausführungen Nissls[1] überein betreffs des unter den Karo-

---

[1] A. Nissl, Der Gerichtsstand des Klerus im fränk. Reiche. Innsbr. 1886.

lingern geübten Kirchenrechtes, dass er als eine der besten Belegstellen gelten kann.

Das Vorgehen des Bischofs gegen seine Kleriker war ein crimen, d. h. ein degradationswürdiges Verbrechen. Er kommt darum zunächst vor die weltliche Gewalt, welche die Voruntersuchung hatte. Die bischöfliche Synode als rein geistliches Gericht hat sodann selbständig die Untersuchung der Schuldfrage zu führen. Ist das Urteil bejahend, dann wird der Angeklagte degradiert und der weltlichen Gewalt übergeben, zur Bestimmung der Strafe und Exekution. Sie kann auch auf Todesstrafe oder Verstümmlung erkennen, oft aber wird wie auch hier der degradierte Bischof zu lebenslänglicher Klosterhaft verurteilt. Zu den pseudo-isidorischen Bestimmungen aber steht Punkt für Punkt in schroffstem Gegensatze. Ein Kleriker kann nach ihm überhaupt nie als Kläger gegen den Bischof auftreten; er müsste sofort aus dem geistlichen Stande ausgestossen werden ohne Hoffnung auf Restitution (Ps. Fabian, 165 c. 21; Ps. Stephan 186 c. 12). Ein legitimer Ankläger aber mit den nötigen 72 Zeugen — die Bedingungen Ps. Isidors sind so gut wie unerfüllbar — darf seine Klage nie vor dem weltlichen Richter anbringen. Die Synode, auf welcher das Verhör stattfinden darf, muss legitim, d. h. mit päpstlicher Ermächtigung berufen werden, wenn seit Stellung der Klage die gesetzmässige Zeit verstrichen ist, aber unter keinen Umständen darf sie ausserhalb der Provinz abgehalten werden. Auf derselben müssen alle Komprovinzialbischöfe anwesend sein, den Vorsitz führt der Metropolit oder der Primas, wenn einer da ist, und die Synode hat die Pflicht, den Beklagten zu restituieren, bevor sie ihn laden kann. Ein endgültiges Urteil aber, das auf Absetzung lautet, kann nur der Papst fällen, an welchen jeder angeklagte Bischof jederzeit, auch gleich anfangs mit Umgehung der Provinzialsynode, appellieren kann[1]). In obiger Stelle der Bistumsgeschichte wird eine Kriminalklage gegen einen Bischof von seinen eigenen Klerikern beim König anhängig gemacht; ob der Angeklagte in Haft gehalten wird, ist nicht zu ersehen. Jedenfalls aber findet das Gericht ausserhalb der Provinz statt, die Synode ist nicht von den Komprovinzialbischöfen gebildet, das Urteil wird gefällt und vollzogen ohne päpstliche Bestätigung.

Wir sehen also, dass der Verfasser der Bistumsgeschichte von Le Mans an einer Reihe von Stellen, wo sich ihm die

---

[1]) S. ob. die Erörterung über den pseudoisidorischen Primat S. 14 ff.

5

schönste Gelegenheit bietet, auf die Dekretalen nicht im
mindesten Bezug nimmt, ja sogar eine Immunitätsurkunde
auf den Namen Karls des Grossen fälscht; deren Inhalt gegen
das pseudo-isidorische Hauptthema; die Jurisdiktionsfrage;
direkt verstösst. Die eine Stelle über die Chorbischöfe, in
welcher er in so auffälliger Weise die pseudo-isidorischen
Fälschungen nicht nur berücksichtigt, sondern fast wörtlich
ihren Text mit einem von ihm sonst nicht angewendeten Sprachgebrauch (quanto magis) herübernimmt, kann unmöglich zu
dem Schluss berechtigen, dass er selbst die Dekretalen und
Kapitularien verfasst habe oder der Verfassergruppe angehöre.
Dasselbe gilt von dem Verfasser oder den Verfassern der
Gesta Aldrici; denn auch diese enthalten jene Immunitätsurkunde. Der Autor der Bistumsgeschichte hatte auch lange
nicht jene umfassende Literaturkenntnis, welche wir bei
Pseudo-Isidor voraussetzen müssen; er benutzte nicht mehr,
als was ihm sein Archiv bot, während er z. B. den Gregor
von Tours nicht kannte[1]. In dem ersten additamentum der
Biographie Aldrichs, das wir ebenfalls ihm zuschreiben
müssen, sind nun mehrere Stellen aus den Dekretalen des
Papstes Bonifazius, Cölestin und Innocenz, eine Verurteilung in contumaciam betreffend, aufgenommen, die zum Teil
sich auch bei Benedikt Levita und Pseudo-Isidor mit einigen
Textesverschiedenheiten[2] finden. Der Verfasser des additamentum hat aber willkürlich eine Stelle aus einer Dekretale von Bonifazius in eine solche von Cölestin gesetzt. Was
ihn dazu veranlasste, lässt sich schwer bestimmen; aber zu
viel Bedeutung wird man dem Umstande nicht beimessen
dürfen, wenn man bedenkt, dass in jener Zeit überlieferte
Texte überhaupt so wenig respektiert wurden. Dass dieselben
Stellen sich auch bei dem Kapitularien- und Dekretalenfälscher benützt finden, kann nach obigen Ausführungen nicht
beweisen, dass der Verfasser mit jenem identisch sei; ebensowenig wird diese Annahme begründet durch die übrigen
Einzelbeziehungen, welche Simson zwischen den verschiedenen Schriftwerken findet, z. B. die Beziehung einer von
Benedikt Levita aufgenommenen Spezialverordnung Karls
d. Gr. für den Gau von Le Mans auf die Heimat des Ka-
pitularienfälschers.[3] Simson selbst legt diesen Argumenten
nur eine nebensächliche adminikulierende Bedeutung bei.

---

[1] Havet l. c. Bd. 54, 669 f.
[2] Fournier, La question des fausses Décrétales. Par. 1887 p. 14 ff.
[3] Simson, Entstehung p. 124 ff.

Was insbesondere die Benutzung gleicher Quellen[1]) betrifft,
so hat schon Schrörs[2]) und ausführlicher Wasserschleben[3])
dargethan, dass hieraus für die Hypothese gar nichts gefolgert werden kann.

Wenn feststeht, dass die Verfasser der Actus und Gesta
mit Pseudo-Isidor nichts gemein haben und auch der pseudo-
isidorischen Partei nicht angehören, so ist damit noch nicht
ohne Weiteres ausgeschlossen, dass der Dekretalen- und
Kapitularienfälscher oder die Fälschergruppe doch in Le
Mans zu suchen sei. Unwahrscheinlich ist dies allerdings
von vornherein; denn wir hätten dann gar keinen Anhalts-
punkt bezüglich einer Person; abgesehen von der Bezugnahme auf die Vorgänge in der Bretagne, passen die pseudo-
isidorischen Tendenzen nicht auf die Kirche von Le Mans;
die deutlichen Beziehungen auf die Schicksale Ebos würden
wenigstens die Annahme bedingen, dass die Fälschergruppe
von Le Mans in enger Fühlung stand mit den von Ebo
geweihten Klerikern in der Reimser Provinz. Zu Gunsten
der Annahme lässt sich nur die vielgenannte gefälschte
Dekretale Gregors IV. für Aldrich geltend machen. Bezüglich
dieses Briefes lässt sich zunächst wohl so viel als sicher
annehmen, dass er zu Lebzeiten Aldrichs, nicht etwa nach
dem Tode desselben, wo man ja die grosse Sammlung der
Papstbriefe kannte, und nicht auf unbestimmte, bloss mögliche Fälle der Zukunft hin geschrieben wurde, sondern
durch ein ganz bestimmtes Ereignis im Leben Aldrichs veranlasst worden ist. Da aber der Fälscher den Brief schon
833 ausgestellt sein lässt, muss er im Futur sprechen: Wenn

---

[1]) Entstehung p. 79 f.
[2]) Literarische Rundschau 1888 Nr. 12 p. 369 ff.
[3]) In v. Sybels hist. Zeitschr. 1890 p. 249 f.
Die Hypothese Simsons fand bei den deutschen Gelehrten keinen
sonderlichen Beifall. Auch Dümmler (l. c. I 236, n. 1), Löning (Deutsche
Literaturzeitung 1887 Nr. 26 p. 940 f.), der Recensent im Literarischen
Centralblatt 1887 Nr. 20 p. 674 f., ein anderer in der historischen Zeitschrift von Sybel 1888, 59, 128 f. treten derselben nicht bei; Döllinger
(Brief an Simson, Briegersche Zeitschrift für Kirchengeschichte 1890,
12, 208) nahm sie nur modifiziert an. Neuerdings scheint dieselbe
accepttiert von Schneider, dem Verfasser des Artikels Pseudoisidor in
der 2. Auflage des Freiburger Kirchenlexikons H. 103 pag. 610. Viel
Anklang fand dagegen die Hypothese bei französischen Gelehrten.
Havet (s. ob.), Viollet (Bibl. de l'Ecole des chartes 1888 Bd. 49 p. 658
bis 660), besonders Fournier (l. c.), mit einiger Reserve auch Duchesne
(Bulletin critique 1886 p. 445) pflichteten bei. Entschieden verworfen
wurde sie von Tardif (Hist. des sources du droit can. 1887 p. 149), der
das Rätsel jetzt dunkler denn je nennt.

5*

eine Anklage gegen den Bischof erhoben werden sollte, dann könne nur der Papst richten. »Aldricus ... apostolicae, si voluerit sanctae sedis et necesse fuerit, appellet antistitem et ad eam libere absque ullius pergat impedimento nec conligari nec iudicari vel damnari a quibusdam possit episcopis.« In diesen Worten ist schon ausgesprochen, welcher Art dieses Ereignis war: Aldrich stand in Gefahr, vor ein »aus gewissen Bischöfen« zusammengesetztes Gericht gestellt und verurteilt zu werden; die Kompetenz dieses Gerichtes soll durch die fragliche Dekretale aufgehoben werden. Aber wann befand sich Aldrich von Le Mans in einer solchen Lage? Kap. 52 und 57 der Gesta berichten in verschiedener Weise von einem Aufstande im Gau von Le Mans, der 840 unmittelbar nach dem Tode des Kaisers gegen Karl ausgebrochen sei. Übereinstimmend wird in beiden die Königstreue des Bischofs hervorgehoben, welche auch durch die Anerbietungen der Aufständischen nicht wankend gemacht wurde. Betreffs des Ausganges aber gehen beide Nachrichten auseinander. Im Kap. 53 heisst es: »Inconvulse fidelis et pro viribus adiutor illi (sc. Carolo) exstitit et propter illum omnia sua dimisit et eum secutus est per omnia«. Der andere Bericht lautet: »Cui (sc. Carolo) Aldricus fidem servans debitam ab infidelibus s. Dei ecclesiae et suis a praefata tyrannica potestate in supradicto anno a praescripto episcopio et a sua sede eiectus est; et propterea multa quae in ecclesiasticis et aliis rebus pro amore Dei facere coeperat, imperfecta remanserunt«. Das ganze Bistum wurde verwüstet, Klöster und Hospitäler von Grund aus zerstört, Rinder, Schafe, Schweine, deren Zahl der Erzähler gewissenhaft angibt, sowie Getreide und Wein wurden geraubt. Es handelt sich hier also um einen lokalen Aufstand, deren es in der Zeit so viele gab; der reiche Besitzstand des königstreuen Bischofs reizte die Aufständischen, auf deren Seite auch der besondere Gegner des Bischofs, der Abt Sigismund von St. Calais stand, zu einem Plünderungszuge, bei welchem Aldrich fliehen musste. Dass aber eine kanonische Anklage gegen ihn erhoben worden wäre oder dass er vor ein Bischofsgericht gestellt werden sollte, wie doch aus der Dekretale Gregors hervorgeht, davon ist weder hier noch sonstwo in der Biographie nur eine Spur zu entdecken. In keinem der beiden Berichte lesen wir ein Wort von der Dekretale selbst oder von einer Restitution Aldrichs. Dass aber wenigstens der erste Bericht nach jenem Ereignis

geschrieben wurde zu einer Zeit, wo Aldrich nicht mehr
vertrieben war, geht unzweifelhaft aus den Schlussworten
von Kap. 53 hervor, wo gesagt ist, das Kloster Calais sei
restituiert worden und werde von dem Bischof und seinen
Dienern verwaltet. Muss man es als unmöglich betrachten,
dass die Dekretale durch dieses Ereignis veranlasst worden
sei, dann können nur noch die Vorfälle in der Bretagne in
Betracht kommen. Nomenoi kümmerte sich wenig um die
Pariser Synode und restituierte auch die gewaltsam abgesetzten Bischöfe nicht. Im Kriege aber errang er immer
grössere Erfolge.[1] Im Sommer 850 wurde Nantes wieder
erobert und ein Bretone auf den noch nicht erledigten
Bischofsstuhl gesetzt. Im selben Jahre fiel auch das starke
Le Mans und viele Edle wurden gefangen weggeführt. In
der dürftigen Überlieferung erfahren wir nun allerdings
nichts über Aldrich, aber sicherlich schwebte er bei dem
Vordringen Nomenois in der gleichen Gefahr wie der Bischof
von Nantes. Da Nomenoi wie bei der Absetzung der Bischöfe
seines Landes zwar gewaltthätig vorging, doch aber durch
Berufung einer Synode wenigstens den Schein eines gesetzmässigen kanonischen Verfahrens zu wahren suchte, so hat
die Annahme nichts Unmögliches an sich, dass auf sein
Betreiben Aldrich wirklich mit einer Anklage, welche seine
Absetzung bezweckte, bedroht wurde. Der kurz darauf ein-
getretene plötzliche Tod Nomenois liess dann die Gefahr
für den Bischof vorübergehen. In dieser Zeit scheint die
Dekretale Gregors IV. verfasst zu dem Zwecke, zunächst
Aldrich vor einem ähnlichen Schicksale zu bewahren, wie
es die bretonischen Bischöfe betroffen hatte. Aber wo?
und von wem?

Die grosse Dekretalensammlung Pseudo-Isidors war in
dem Zeitpunkte schwerlich schon verbreitet, so dass der
Brief mit Benützung derselben verfasst sein könnte. Aber
auch die Benützung der Quellen,[1] die ganze Art und Weise,
wie er zusammengeflickt ist, erinnert so sehr an Pseudo-
Isidor, dass es mehr wie unwahrscheinlich ist, die Dekretale
mit der nachfolgenden Erörterung sei anderswo als in der
pseudoisidorischen Werkstätte selbst fabriziert worden.
Durch die Gesta (c. 44) war bekannt, Aldrich habe von

---

[1] Dümmler l. c. II. 342 f.
[2] Hinschius l. c. CLXXXVIII sqq. Simson, Entstehung p. 18 ff.;
dann in v. Sybels hist. Ztschr. 1892 p. 195 f. Wasserschleben in v.
Sybels hist. Ztschr. 1890 p. 245 f.

Papst Gregor einen Brief erhalten, wenn auch ganz anderen Inhaltes; diesen Umstand benützte man und liess den Brief zunächst für Aldrich ausgestellt sein, suchte denselben aber auch für die bereits vertriebenen Bischöfe brauchbar zu machen durch den Zusatz, der erst auf diese Weise verständlich wird: »quae etiam in exemplum aliis episcopis prodesse poterit«. Der Brief hat eine sehr seltsame Adresse: »Dilectissimis fratribus universis coepiscopis per Galliam, Germaniam, Europam, et per universas provincias constitutis Gregorius servus servorum Dei«. Diese wunderliche Adresse erinnert sehr an diejenige des Briefes betreffs der Restitution Ebos, der auf den Namen desselben Papstes gefälscht ist: »Sanctissimis fratribus coepiscopis cunctis quoque principibus orthodoxis et universis catholicae ecclesiae fidelibus«. Auch dieser Umstand macht wahrscheinlich, dass er aus der pseudoisidorischen Fälschergruppe, d. h. der Partei der von Ebo geweihten Kleriker, hervorging. Dass die Dekretale wirklich geltend gemacht worden oder Aldrich nur zu Gesicht gekommen sei, wissen wir nicht. Jedenfalls kam sie nach Le Mans, der Fortsetzer der Bistumsgeschichte fand dieselbe und reihte sie seinem Werke ein. Da er indessen der Zeit ferne stand und weder in der Bistumsgeschichte noch in der Biographie Aldrichs irgend eine Notiz fand, welche ihm über diesen Brief oder über eine dem Bischofe drohende Verurteilung hätte Aufschluss geben können, so verstand er das Schreiben ganz falsch, wie aus dem Zusatze hervorgeht, mit welchem er eine Vermittlung herzustellen sucht: »Domnus igitur Aldricus accepta apostolicae auctoritatis epistola sedi suae restitutus ... in pace defunctus est«. Während die Dekretale nur die Möglichkeit in Betracht zieht, dass Aldrich einmal angeklagt werden sollte, glaubt der Fortsetzer der Actus, Aldrich habe den Brief erst erhalten, als er bereits abgesetzt war, und sei auf dies Schreiben hin restituiert worden.

Schluss.

Ist also kein Anlass vorhanden, die Entstehung der pseudo-isidorischen Fälschungen in Le Mans anzunehmen, dann wird auch fernerhin die Reimser Diöcese als Heimat derselben zu gelten haben. Hier tauchen dieselben zuerst auf, hier finden wir eine Partei, aus deren Kreise auch andere Fälschungen pseudo-isidorischen Geistes (s. ob) hervorgingen. Die Interessen dieser Partei sind aufs engste verknüpft mit denen Ebos, so dass, wenn wir dieser die Abfassung der Dekretalen zuweisen, am leichtesten die Bezugnahme derselben auf Ebos Verhältnisse erklärt wird. In Reims werden auch königliche Edikte gefälscht. In Reims hatte sich das Institut der Chorbischöfe am schädlichsten gezeigt; schon Ebo hatte sie bekämpft. In Reims allein finden wir die starke Opposition gegen die übermächtige Metropolitengewalt. Rothad, der erbitterte Gegner Hinkmars, der sich weigerte, eine schriftliche Erklärung über die Metropolitenrechte zu unterzeichnen[1]), und der erste Bischof, welcher prinzipiell Pseudo-Isidor vertrat, stand von Anfang an in Verbindung[2]) mit dieser Partei. Von Reims aus und zwar durch diesen Rothad wurden die Dekretalen nach Rom gebracht[3]). »Zwischen den streitenden Klerikern der Reimser Diöcese und den pseudoisidorischen Prinzipien besteht die engste Verbindung. Das ist das Geheimnis der pseudoisidorischen Frage«[4]). Die persönlichen Interessen, Rechtfertigung Ebos und Opposition gegen Hinkmar, waren das bestimmende Moment: »Es ist zunächst nicht, wie man annimmt, ein Kampf von Prinzipien, sondern von Personen und rein persönlicher Art«[5]). An der Spitze dieser Reimser Kleriker treffen wir einen Mann von aussergewöhnlicher Bildung, von hochstrebender und ehrgeiziger Gesinnung, den Diakon Wulfhad[6]). Hinkmar fürchtete denselben in hohem Masse und veranlasste ihn zu einer schriftlichen, eidlich bekräftigten Erklärung, nach keiner kirchlichen Würde mehr zu streben und nie den Frieden der Kirche und die Ruhe der Hierarchie stören zu wollen.

---

[1]) Schrörs l. c. 255.
[2]) Schrörs l. c. 238.
[3]) Schrörs l. c. 257 ff. Simson, Entstehung 113 n. 2.
[4]) Meurer im Histor. Jahrbuch VII 126.
[5]) Meurer l. c. 126.
[6]) Schrörs l. c. p. 273 ff.

Trotz seiner Degradation 853 wurde er bald Abt des Me-
dardusklosters und wusste als Prinzenerzieher die Gunst
Karls zu gewinnen. Gegen den Willen Hinkmars wurde er
später Metropolit von Bourges, nachdem jener durch seinen
energischen Widerstand die Erhebung des königlichen Günst-
lings auf den Bischofstuhl von Langres verhindert hatte.
Man kann annehmen, dass Wulfhad schon beim Beginn des
Kampfes mit Hinkmar entschlossen war, im Falle eines un-
günstigen Ausganges nach der Gunst des Königs zu streben
und auf diesem Wege das Ziel seiner hochgehenden Wünsche
zu erreichen. Können wir ihm die führende Rolle in der
Abfassung der Dekretalen zuteilen, dann wäre auch der oben
berührte Umstand erklärt, warum die Dekretalen betreffs
der Freiheit der Bischofswahlen eine so eigentümliche Zurückhaltung beobachten, ganz entgegengesetzt zu der Schärfe
des Diakons Florus oder gar Hinkmars.

Gegen die Entstehung der Dekretalen in der Reimser
Diöcese macht Fournier auch das Verhältnis Hinkmars zu denselben geltend[1]). Wenn die Fälschung in Reims entstanden
wäre als Waffe gegen Hinkmar, so hätte der gewandte Kanonist die Unechtheit erkennen müssen, leichter wenigstens,
als wenn die Sammlung von einer benachbarten Provinz
nach Reims gebracht worden wäre. Aber es ist ja auch
nicht anzunehmen, dass das Machwerk unter den Augen
des Metropoliten entstand, sondern nur in der Reimser Provinz. Mit welcher Klugheit die Fälscher zu Werke gingen,
lässt sich schon aus den Fiktionen erkennen, welche sie über
die Herkunft der einzelnen Stücke vorbrachten. Weizsäcker[2])
hat sogar zu erweisen gesucht, Hinkmar habe die Unechtheit erkannt, aber dieselbe nicht entlarvt in der Hoffnung,
den pseudo-isidorischen Primat zu gewinnen. Aber abgesehen davon, dass die wenig begehrenswerten Rechte, die
Pseudo-Isidor dem Primas zugeteilt, Hinkmar kaum verhindert
hätten, der zum Teil gegen ihn geschmiedeten Waffe die
Spitze abzubrechen, ist es überhaupt eine sehr wenig be-
gründete Annahme[3]), dass er je nach einem Primate gestrebt
habe. Wenn man allerdings bedenkt, dass Hinkmar eine
Hispana der gallischen Form kannte[4]), mithin den Vergleich

---

[1]) Fournier l. c. p. 28 f.
[2]) Zeitschrift für historische Theologie Bd. 28. 383 ff.
[3]) Schrörs l. c. 250 A. 52.
[4]) Gietl, Histor. Jahrbuch der Görresgesellsch. XV 1894 p. 569 ff.
Schrörs l. c. 393 n. 24.

ziehen konnte mit der recensierten und interpolierten Form, welche ihr Pseudo-Isidor gab, dass er ferner thatsächlich die pseudonicänischen Kanones verwarf[1]), dann mag es fast rätselhaft erscheinen, warum er den Verdacht, den er offenbar hatte, nicht aussprach. Indessen kam ihm ja, wie Schrörs[2]) wohl mit Recht ausführt, seine Theorie von der sekundären Bedeutung der päpstlichen Dekretalen überhaupt gegenüber den Koncilsschlüssen weit besser zu statten. Die pseudonicänischen Kanones, welche die Bestimmungen der Dekretalen zum grössten Teile enthalten, verwarf er in einer scharfsinnig geführten Untersuchung. Damit waren nach seiner Auffassung vom Dekretalenrechte die für ihn unbequemen Stellen Pseudo-Isidors entkräftet, während er von den übrigen selbst ausgiebigen Gebrauch machte.

---

[1]) Schrörs l. c. 399.
[2]) l: c p. 399 ff.

Nachtrag.

Erst während des Druckes vorliegender Abhandlung erhielt ich Kenntnis von dem im Neuen Archiv der Gesellschaft für ältere deutsche Geschichtskunde, Bd. XXIII Hft. 1, 1897, S. 180—195 veröffentlichten Aufsatze K. Hampes: »Zum Streite Hinkmars v. Reims mit seinem Vorgänger Ebo und dessen Anhängern.« Nach wiederholter sorgfältiger Prüfung gelangte ich zu folgendem Resultate:

Selbst wenn es sich erweisen liesse, dass Ebo der Verfasser nicht nur des Apologeticum, sondern auch des auf den Namen P. Gregors IV. gefälschten Briefes sei, so müsste, wie auch Hampe zugibt, noch nicht gefolgert werden, dass Ebo auch Anteil an der grossen Dekretalenfälschung hatte. Die übrigens nicht sonderlich auffallende stilistische Ähnlichkeit der fraglichen Dekretale mit einigen charakteristischen Stellen der ps.-is. Dekretalen liesse sich ja auch so erklären, dass die ps.-is. Fälschergruppe, d. i. eben der Reimser Anhängerkreis Ebos, jene Dekretale benutzte. Voraussetzung wäre allerdings, dass nicht nur das Apologeticum, sondern auch die fragliche Dekretale bereits v o r dem Tode Ebos in den Händen derselben war. Und das ist sehr wahrscheinlich; warum sollte auch Ebo vor seinen erklärten Anhängern, deren Interessen und Bestrebungen mit den seinigen so enge verknüpft waren, bis zu seinem Tode die Fälschung geheim gehalten haben? Indessen halte ich nicht für sicher erwiesen, dass Ebo der Verfasser der Dekretale war. Die stilistischen Übereinstimmungen zwischen dem Apologeticum und der Dekretale, sowie die Anklänge an die echte Dekretale von Paschal I. scheinen mir zu wenig charakteristisch, um den von Hampe gezogenen Schluss stützen zu können. Zudem ist ja nicht einmal zweifellos, dass Ebo auch nur das Apologeticum, wenigstens den II. Teil, d. h. die Urkunde der Suffraganbischöfe, selbst verfasst hat. Auch w a n n die Dekretale entstand, lässt sich schwer bestimmen. War sie schon 845 vorhanden, so bleibt befremdlich, dass sie so wenig bekannt und anerkannt wurde, dass Ebos Nachfolger in Hildesheim die von Ebo erteilten Weihen als ungültig erklärte, also den Brief nicht kannte oder ignorierte. Mag indessen die Fälschung auch schon zu Lebzeiten Ebos entstanden sein, so viel scheint sicher, dass der Reimser Anhängerkreis Ebos davon unterrichtet war, ja dass er wohl auch mitwirkte.